Amor y pedagogía

Biblioteca Unamuno

Miguel de
Unamuno
Amor y pedagogía

Introducción y notas de Julia Barella

El libro de bolsillo
Biblioteca de autor
Alianza Editorial

Primera edición en «El libro de bolsillo»: 1989
Primera reimpresión: 1997
Primera edición, revisada, en «Biblioteca de autor»: 2000
Segunda reimpresión: 2004

Diseño de cubierta: Alianza Editorial
Ilustración: Ignacio Zuloaga, *Retrato de la condesa de Noailles, 1913* (detalle)
© Ignacio Zuloaga, VEGAP, Madrid, 2000
Proyecto de colección: Odile Atthalin y Rafael Celda

© Herederos de Miguel de Unamuno
© Alianza Editorial, S.A., Madrid, 1989, 1997, 2000, 2002, 2004
    Calle Juan Ignacio Luca de Tena, 15; 28027 Madrid; teléf. 91 393 88 88
    www.alianzaeditorial.es
    ISBN: 84-206-3613-4
    Depósito legal: M. 7.339-2004
    Impreso en Fernández Ciudad, S. L.
    Printed in Spain

Introducción

Unamuno inauguró con *Amor y pedagogía*, su segunda novela, la «Biblioteca de Novelistas del Siglo XX», que acababa de
fundar un amigo suyo, el escritor catalán Santiago Valentí
Camp. El libro vio la luz en Barcelona, Imprenta de Henrich y
Cía., 1902.

La edición príncipe se acompañaba de un prólogo, un epílogo y los *Apuntes para un tratado de cocotología*, todo ello,
según palabras del autor, para completar lo que a los ojos de
los editores era una novela demasiado corta, que no parecía
ajustarse al tamaño ideal de cada uno de los tomos de la recién creada Biblioteca[1]. La segunda edición (Madrid, Espasa
Calpe, 1934), presenta interesantes novedades; Unamuno escribe para ella un nuevo prólogo-epílogo y amplía los *Apuntes para un tratado de cocotología* con un apéndice y nuevos
dibujos; ésta es la edición que a continuación ofrecemos, por
ser la última que apareció en vida de su autor. Le hemos aña-
dido unas breves notas a pie de página.

Dentro de la obra unamuniana, *Amor y pedagogía* no es una
novela como las demás. El propio don Miguel la calificaba de
«lamentabilísima equivocación» en el prólogo a la primera edición (v. *infra* p. 25). La crítica, hasta el momento, la ha venido

7

considerando un ejercicio literario, una prueba, una tentativa y una primera reflexión sobre el género novelístico. Pero su lenta gestación, los planteamientos del prólogo, la propia temática, la mezcla de elementos trágicos y cómicos, la presencia de lo patético y lo grotesco, de lo hiriente y satírico, el diseño de los personajes, sus discursos, etcétera, todo ello nos lleva hoy a pensar que no sólo hay ejercicio literario en *Amor y pedagogía,* sino que, por el contrario, parece que ya Unamuno, en 1902, estaba perfilando a grandes rasgos las líneas temáticas y estilísticas de sus siguientes novelas. En el prólogo a la segunda edición (1934), afirma Unamuno que «en esta novela que ahora vuelvo a prologar está en germen –y más que en germen– lo más y lo mejor de lo que he revelado después en mis otras novelas» (p. 32). Desde entonces, toda la crítica coincide al destacar el papel de transición que tiene esta obra, y hasta se la considera «borrador» de otras posteriores[2].

Tras la publicación de *Paz en la guerra* en 1897, se producen importantes cambios en la personalidad y en los gustos e inquietudes culturales de Unamuno. Será en *Amor y pedagogía* donde, por primera vez, maneje conceptos estéticos nuevos sobre el género novelístico. Abandonará los procedimientos y técnicas utilizados en *Paz en la guerra,* y las siguientes novelas se forjarán «afuera de lugar y tiempo determinados, en esqueleto, a modo de dramas íntimos»[3].

Por todos es conocida la crisis que sufre Unamuno en 1897. Crisis que le hace desconfiar del positivismo, huir de las poses pseudocientíficas, del rigorismo y de lo que él llamaba la manía de las clasificaciones. La redacción de *Amor y pedagogía* se convirtió en un desahogo y en una consecuente y clara exposición, en clave humorística, de una serie de problemas personales que entonces le andaban rondando la cabeza, además de reflejar su decepción ante el socialismo y el progresismo, y su preocupación por el destino de la ciencia[4].

Unamuno aprende a desconfiar del progreso científico cuando se da cuenta de que éste no va acompañado de un progreso espiritual. Lo que busca es la salvación personal, liberarse como hombre de creencias exclusivamente racionalizadoras y dogmáticas, de doctrinas intelectuales que sólo intentan ordenar y clasificar el mundo, para huir de la sensación de vacío y de la proximidad de la nada. Por eso utiliza el título *Amor y pedagogía,* y por eso, como veremos, hará que triunfe el amor, porque para el Unamuno de principios de siglo, las clasificaciones y la excesiva racionalización sólo sirven para desplazar al hombre de la vida, para limitarle y coartar su libertad con rígidas fórmulas.

A lo largo de la novela, vemos, una y otra vez, cómo se burla de las teorías pedagógicas de Spencer y del positivismo de Comte. Por esas fechas, Unamuno escribe artículos y cartas en los que se refiere a Spencer de esta manera:

Y para nuestros pedagogos, lo más importante parece ser a qué clase, a qué género, a qué especie pertenece algo. El problema del conocimiento parece reducirse para ellos como para Spencer –este hombre fundamentalmente afilosófico– se reducía a una cuestión de clasificación[5].

En otro lugar escribe:

¡La clasificación! He aquí la monomanía... La cuestión es clasificar, aunque luego esa clasificación no sirva para maldita de Dios la cosa. ¡Clasificar por clasificar! No han salido de la Escolástica. Diríase que, como aquel personaje de mi novela *Amor y pedagogía,* creen que el fin de la ciencia es catalogar el universo para devolvérselo a Dios en orden, o bien que conocer es clasificar, como creía aquel formidable Spencer, uno de los últimos escolásticos y también pedagogo[6].

Unamuno critica la manía de las clasificaciones, pero en el fondo lo que está defendiendo es la individualidad humana, y armándose para la lucha contra un problema que entonces comenzaba, el de la masificación. Por eso, en la novela nos encontramos con un pasaje en el que se recomienda a Apolo-

doro, el joven educado para genio, que no deje que le clasifiquen, que les despiste mientras pueda:

Sé ilógico a sus ojos hasta que renunciando a clasificarte se digan:
es él, Apolodoro Carrascal, especie única. Sé tú, tú mismo, único e
insustituible (p. 109).

Pero *Amor y pedagogía* no es simplemente una burla contra la moda de las clasificaciones, contra los excesos positivis-
tas, las nuevas técnicas pedagógicas o el psicologismo empi-
rista que triunfaba en las tertulias de los intelectuales del
momento. Ya han pasado los años en los que Unamuno escri-
biera con alborozo a su amigo Mugica:

La psicología del hombre y de los pueblos tiene que ser la base de la
pedagogía, de la política, de todas las disciplinas fecundas y realmente civilizadoras[7].

Unamuno, y con él toda su generación, se ha educado en la
idea de que la vida es superior e irreductible a la razón, lo
mismo que el sentimiento es superior a la lógica. Por eso,
como bien ha visto Laín Entralgo, «Unamuno pasó en su mocedad de un cientifismo progresista y spenceriano al invaria-
ble y bien conocido irracionalismo de toda su vida restante»[8].
Amor y pedagogía refleja este proceso.

De lo que verdaderamente se burla Unamuno es de los
científicos y pedagogos separados de la vida, que luchan por
clasificar lo inclasificable, que creen captar con sus métodos y
fórmulas el secreto de la vida, alejándose cada vez más de
ella. Para Unamuno, la verdad es experiencia más que conocimiento, vida más que acumulación de datos y saberes enci-
clopédicos. La verdad es una de las constantes preocupaciones de sus obras, en todas aparece de alguna manera, desde el
drama *La venda* (1899), hasta *San Manuel Bueno, mártir*
(1933). Con mucha frecuencia se preguntará qué es la verdad
y, al no encontrar respuesta, volverá a preguntarse, como el

personaje de *Amor y pedagogía*: «¿Hay acaso mayor mentira que la verdad? ¿No nos está engañando? ¿No está engañando la verdad nuestras más genuinas aspiraciones?» (p. 88).

Amor y pedagogía responde a una serie de planteamientos muy de moda en la época: por eso sus ataques, sus burlas y la crítica que hace de ciertos presupuestos científicos y actitudes filosóficas no deben llevarnos a suponer que es una novela de tesis. Unamuno se divierte, tal vez como pocas veces lo haya hecho, escribiendo sobre un tema muy cercano a sí mismo como persona y como profesional de la enseñanza, y también pintando unos personajes, casi caricaturas, que reflejan su entorno, un entorno español y también plenamente europeo[9].

Pero no se trataba sólo de hacer una novela satírica y de poner en movimiento una serie de personajes de los que burlarse. *Amor y pedagogía* supuso un replanteamiento a nivel formal y estructural del genero novelístico. Como dice José-Carlos Mainer, esta novela «significa una ruptura muy personal en la línea del relato tradicional: existe, desde luego, un fondo social realista (una clase media vista sin la piedad galdosiana), pero lo que destaca es la lucha de conciencias, y quizá aún más que de éstas, el enfrentamiento de principios generales –ideología y práctica–, encarnados en voluntades humanas, pero sin que nada oculte el acuciante problema personal que el escritor ventila en el relato»[10].

Problemas de relación con el mundo, de la ciencia con la vida, de los sentimientos con la razón, problemas personales que volverán a plantearse en otras novelas y que serán resueltos de distintas maneras, dependiendo muchas veces del estado anímico y de la situación profesional del propio Unamuno. Junto a éstos, aparecerán nuevas preocupaciones sobre la creación literaria. Unamuno necesita hacer reformas e innovaciones en el género novelístico para que éste responda con mayor fidelidad a los problemas de conciencia que tendrán que reflejar los nuevos personajes.

Una de las mayores innovaciones efectuadas será la concepción de la novela como entidad abierta[11]. Se trata de escribir una novela improvisando, «a lo que salga» –como él mismo decía–, sin plan previo[12]. Éstos son años, como hemos visto, en los que Unamuno está de parte de lo espontáneo y vitalista[13], de un novelar sin planes que coarten el libre discurrir de la mente del autor. Y, así, lucha en su novela contra el *logos* como Don Quijote contra los molinos[14]:

¡Desgraciados de nosotros si no sabemos rebelarnos alguna vez contra la tirana [la lógica]! Nos tratará sin compasión, sin miramientos, sin piedad alguna, nos cargará de brutal trabajo y nos dará mezquina pitanza (p. 182).

Y para sacudirse de ese «yugo del *ergo*» (p. 181), escribirá una novela humorística, pues el humor está enfrentado con el *logos,* y Unamuno necesita, en estos años de una manera especial, desasirse de la lógica, reírse, desahogarse:

Porque, ¿qué otra cosa es el sentimiento de lo cómico sino el de la emancipación de la lógica, y qué otra cosa sino lo ilógico nos provoca a risa? Y esa risa ¿qué es sino la expresión corpórea del placer que sentimos al vernos libres, siquiera sea por un breve momento, de esa feroz tirana, de ese *fatum* lúgubre, de esa potencia incoercible y sorda a las voces del corazón? (p. 181).

Amor y pedagogía, efectivamente, supuso un desahogo. Así lo escribe en varias cartas que acompañaron el envío de la novela. El 12 de mayo de 1902 dice a su amigo Mugica:

Le envío mi *Amor y pedagogía,* que me ha comprado y publicado un editor barcelonés. Es, como verá, un desahogo. Y le ruego no me venga con observaciones gramaticales, porque no hago ya maldito el caso de ellas. Cada día me inspira más asco la gramática, y soy más anarquista en cuestión de lenguaje. En España no faltan quienes escriben bien, lo que faltan es quienes piensen o sientan[15].

Un día después, escribe a Ilundáin:

Cuando tenga esta carta en sus manos habrá recibido mi *Amor y pedagogía;* ¡un desahogo! Cada día aborrezco más el intelectualismo... Aquí, en España, sorprenderá a muchos que creían tenerme ya encasillado[16].

Un año más tarde, seguía pensando lo mismo sobre su novela, y así se lo hacía saber a su amigo José Enrique Rodó:

Es el tal libro un desahogo, y con haberlo escrito me vi libre y desembarazado de malos humores, pues no puede usted figurarse la bilis que he tenido que digerir (le advierto que no lo digo en sentido figurado) para verter ese amargo humorismo[17].

Como vemos, para Unamuno, *Amor y pedagogía* es una novela humorística, y desde esa perspectiva debemos hoy leerla. En ella, don Miguel mezcla elementos grotescos[18], satíricos y trágicos para conseguir con más facilidad el fin que se propone, y afirma elegir la forma humorística pues ésta «me permitirá decir ciertas crudezas... que se me cocían dentro»[19]. El tono de la novela es muy distinto al de las siguientes obras de Unamuno, en las que predominan los elementos trágicos o dramáticos, con excepción de *La difunta* y *La princesa Doña Lambra,* sainetes publicados en 1909. Nos encontramos con un Unamuno de buen humor, burlón y sarcástico, que anda siempre entrometiéndose en la narración, haciendo guiños al lector, mofándose de algún personaje o comentando su disparatada actuación. En este sentido, como dijo José Antonio Balseiro, *Amor y pedagogía* «es una caricatura, una farsa, una narración extravagante y curiosa»[20], y también, «una libre fantasía humorística que con paradojas y rarezas parece hallar deleitación en burlarse de sí misma»[21].

Como novela de humor, *Amor y pedagogía* está perfectamente inmersa en el ambiente de la época, y no sólo por el tema, tan de moda como vimos, sino por el tono elegido, que, como señaló Mainer, funcionaba como contraste de abolengo romántico entre lo real y lo ideal, convirtiéndose en el vehículo ideológico preferido por la generación de fin de siglo, pues les permitía continuos juegos entre el mundo de lo real y el mundo de la ficción[22].

Unamuno nos presenta una serie de personajes contradictorios, a veces grotescos en sus gestos y actitudes. Personajes que sufren el choque que se produce entre su mundo interior y el mundo real, y que viven sin poder hacer compatibles ambos mundos, entre contradicciones y opósitos.

Muchos son, además, los contrastes que se presentan en la novela. Tal vez el primero de ellos aparezca en el título: amor *versus* pedagogía. Al final, parece que la oposición se resuelve a favor del amor, pero no hay –el humor no lo permite– un claro vencedor:

La pedagogía es la adaptación, el amor, la herencia, y siempre lucharán adaptación y herencia, progreso y tradición..., mas ¿no hay tradición de progreso y progreso de tradición, como dice don Fulgencio?, ¿no hay pedagogía de amor, pedagogía amorosa y amor de pedagogía, amor pedagógico a la vez que pedagogía pedagógica y amor amoroso? (p. 89).

Hay contrastes también entre las opiniones y posturas ante la vida de padres e hijos, entre la mujer y el hombre, entre distintas maneras de comprender el matrimonio, entre maneras de escribir, de creer en la ciencia o en la vida, de vivir en el sueño o en la vigilia, entre la razón y la fe, la tradición y el progreso. Todos se presentan sin resolver, manteniéndose a lo largo de la novela y proyectándose en toda su producción posterior. No cabe duda de que a Unamuno lo que le gusta es presentar a sus personajes en posturas contradictorias y resaltar en ellos la riqueza de esos contrastes. Contradicciones que irán agudizándose y que con el tiempo se volverán agónicas y desesperanzadoras .

*

Y pensar que a esta alma humana, porque es una verdadera alma humana, podría estropearla entre maestros y maestrillos. Créame V., no ha de ir a colegio ni escuela, no. Yo le enseñaré todo, volveré a aprenderlo.

Con estas palabras referidas a su hijo Fernando, se dirigía Unamuno a su amigo Pedro Mugica el 2 de abril de 1893[23]. Por estas fechas los temas de educación, los estudios de pedagogía y la psicología son sus ocupaciones preferidas. *Amor y pedagogía* viene a reflejar antiguas preocupaciones que desembocan en este relato satírico de un experimento pedagógico fracasado.

Todos los personajes son descritos muy esquemáticamente. Se les individualiza, pero no se les dota de carácter ni de personalidad. Unamuno crea a sus personajes para que actúen y, fundamentalmente, para que dialoguen. El diálogo constituye más de la mitad del texto de la novela, diálogo que, a veces, se estructura en grandes monólogos y discursos. Recordemos que el propio autor se propone que sus novelas –*nivolas*– queden reducidas a diálogos, pues de lo que se trata es de inventar «relatos de acción y sentimientos»[24]. Pero, ¿cómo es el perfil humano de estos personajes?

Avito Carrascal es un apasionado de la pedagogía y de la ciencia en general. Pretende, sirviéndose de métodos deductivos y de técnicas extraídas de la pedagogía sociológica, crear un genio. Una adecuada elección de la madre y un correcto control de la educación desde el momento de la gestación serán los primeros pasos a seguir. Desde el comienzo de la novela, vemos a don Avito luchar contra sus propios sentimientos, intentar racionalizar cada momento en que, junto a Marina presiente que lo instintivo e irracional se apodera de él. Don Avito se recrimina una y otra vez haber «caído» en la inducción, pero sigue adelante. Cuando se casa con Marina, Forma y Materia se unen, «empiezan a chalanear ciencia e instinto», y él siente que «desde las excelsas cimas de la de-

ducción se ha despeñado a los profundos abismos inductivos» (p. 48). Don Avito no ha tenido en cuenta para sus expe-
rimentos pedagógicos el amor, y tampoco contará con él
cuando se enamore su hijo. Por eso, sólo logrará la armonía
con su mujer al final de la novela, tras morir sus hijos, cuando él se convierta en hijo, como veremos, y reconozca el
triunfo del amor sobre la pedagogía.

Don Fulgencio de Entrambosmares, cuyo apellido nos da
la clave de su personalidad, es una autocaricatura de Unamuno y el personaje que eleva el nivel filosófico de la novela. Será
el maestro, el sabio, el filósofo:

Yo, Fulgencio Entrambosmares, tengo conciencia del papel de filósofo que el Autor me repartió, de filósofo extravagante a los ojos de los
demás cómicos, y procuro desempeñarlo bien (p. 77).

Para don Fulgencio, la vida es un escenario en el que cada
hombre representa un papel predeterminado por Dios. Por
un lado, se comporta como el filósofo escolástico que gusta
de las clasificaciones y vive obsesionado por el afán de ordenar el mundo. Por otro lado, será el filósofo escéptico, algo
existencialista, que se deja invadir por un cierto vitalismo,
por el humor y la ironía. Don Fulgencio es, como dice Unamuno, la clave de la novela, el que marca la transición entre
los antagonistas y los agonistas[25]. Es positivista y hegeliano,
ataca los abusos modernistas y, como Unamuno, se entretiene haciendo pajaritas de papel y juegos de palabras.

El joven Apolodoro, el futuro genio, es uno de los protago-
nistas, pero no por ello su personalidad está más definida que
la de los demás. Ni siquiera tenemos una descripción física
suya. A veces, parece un tonto; otras, un pedante; las más, el
pobre resultado de una confusa educación. Desde su nacimiento se ve condicionado por su nombre y por el destino
que para él ha decidido su padre. Con el tiempo, el joven
acabará sufriendo un doble fracaso, como escritor y como

amante de la joven Clarita. El final será el suicidio: «Soy un genio abortado; el que no cumple su fin debe dimitir» (p. 148). Su formación le sumerge en un mundo aislado, sin apoyos que le faciliten una relación con el mundo real.

El joven pasará por una serie de momentos clave en el camino de su desequilibrio final[26]. El primero de ellos es la entrevista que le concede don Fulgencio, tras de la cual Apolodoro toma conciencia de su aislamiento y de su ser distinto a los demás. A partir de ese momento, cada día se harán más palpables los fallos de la educación que ha recibido, y la ciencia dejará de ser consuelo y alivio, como pretendía su padre. En los siguientes momentos clave, a saber, la segunda entrevista con don Fulgencio, el encuentro con el epiléptico, la visión de un hombre muerto sobre el río, etcétera, vemos cómo Apolodoro lucha consigo mismo y cómo parece que todo se agolpa en su mente, mezclándose sus emociones con pensamientos pseudocientíficos, con el recuerdo de canciones de cuna, con la angustia ante la muerte y el deseo de soñar. Las imágenes de la influencia materna pugnan por prevalecer sobre las paternas. La madre, el amor, el sueño, el instinto y la naturaleza *versus* el padre, la ciencia, la pedagogía, la razón. El abismo se abre ante sus pies: Clarita no le quiere, ha fracasado como escritor, las ideas heredadas de su padre giran ahora entre la confusión y el caos[27].

Marina, la madre, se eleva sobre sus metáforas, muy frecuentes en la caracterización de las figuras femeninas en la obra unamuniana: el sueño y la materia. El sueño que, como dice Ribbans, «es una anticipación de la imagen de la niebla en la novelística posterior»[28]. La materia, que se identificará con la naturaleza, la espontaneidad vital y el instinto.

Marina, instinto, amor y ensoñación, influye en su hijo Apolodoro, al que bautiza en secreto con el nombre cristiano de Luis y colma de irracionales y continuos besos y caricias, mientras don Avito, el padre, la ciencia, procura ir imponiendo en su hijo una formación basada en la razón y en la objetividad[29]. Pero la influencia de la madre es definitiva. Al final, también don Avito cae en los brazos de Marina, en los brazos de la ensoñación tratando de encontrar la paz en el vientre de la mujer-madre. Pierde don Avito la confianza en la ciencia, en el futuro, en el progreso, y se refugia finalmente en la tradición. La novela termina cuando Marina besa la «ardorosa frente» de su marido, mientras grita: ¡Hijo mío!», y él responde: «¡Madre!», añadiendo Unamuno. «El amor había vencido» (p. 163)[30].

Así finaliza la novela. Pero no la vida concedida por don Miguel a sus personajes, sobre todo a don Fulgencio, al que Unamuno en persona irá a ver a su casa al terminar la narración. Con él mantendrá una amena charla y, tras ella, recogerá de manos de su personaje dos manuscritos: un diálogo titulado *El calamar* y los *Apuntes para un tratado de cocotología,* que a continuación nos ofrece.

Es sobradamente conocida la afición de Unamuno a las pajaritas de papel. Son muchas las anécdotas que al respecto se cuentan[31]. Él mismo nos dice en la *Historia de unas pajaritas de papel* que dicha afición comenzó cuando era niño, durante el bombardeo de Bilbao, en 1874. En la huerta de Olabeaga jugaba Unamuno con su primo Telesforo de Aranzadi a construir ejércitos de pajaritas que planeaban sobre una ciudad fantástica; allí esbozaron ambos el primer tratado anatómico y papelipajaresco, y dejaron hablar en mil lenguas distintas a sus fabulosas pajaritas.

El *Tratado de cocotología* es una especie de «antropología general –como dice Olson–, en la que el hombre ha sido reducido, por la fuerza negativa de la razón analítica, a una pajarita de papel, un ser completamente sin sustancia, pura superficie y pura forma»[32]. La elaboración de estos *Apuntes* por uno de los personajes de la novela nos recuerda la concepción que el autor ha demostrado tener de la vida como escenario, donde cada personaje cumple con el papel asignado por su Hacedor, como las pajaritas.

En el apéndice final que añadió a los *Apuntes* en la segunda edición (1934), Unamuno vuelve a insistir en el tema principal de la novela. Torna a arremeter contra los pedantes «investigacionistas, que no investigadores», y concluye:

Tengamos la fiesta en paz, y ahoguemos en amor, en caridad, la pedagogía.

JULIA BARELLA
Madrid, noviembre de 1988

Notas

1. De diversa índole son los problemas que tuvo Unamuno con los editores; v. Ricardo Gullón, *Autobiografías de Unamuno*, Madrid, Gredos, 1976, pp. 55-56.
2. V. Geoffrey Ribbans, *Niebla y soledad*, Madrid, Gredos, 1971, pp. 87 y ss.; Julián Marías, *Miguel de Unamuno*, Madrid, Espasa Calpe, 1942, pp. 94-96; José López Morillas, «Unamuno y sus criaturas: Antolín S. Paparrigópulos», *Cuadernos Americanos*, 40 (julio-agosto 1948), pp. 234-249, y Carlos Clavería, *Temas de Unamuno*, Madrid, Gredos, 1952, pp. 51 y ss. Para Juan José Domenchina, *Amor y pedagogía* es un claro antecedente del *Prometeo* de Ramón Pérez de Ayala; v. Donald L. Fabian, «Action and Idea in *Amor y pedagogía*», *Hispania*, XLI (1958), pp. 30-34.
3. Prólogo de 1923 a *Paz en la guerra* (*Obras completas*, Madrid, Escelicer, 1967, vol. II, p. 90). Sánchez Barbudo señala la diferente actitud que inspira *Paz en la guerra* y *Amor y pedagogía* y justifica el cambio por la crisis espiritual de 1897 (v. Antonio Sánchez Barbudo, *Estudios sobre Unamuno y Machado*, Barcelona, Lumen 1981, tercera edición, pp. 88-109). Pero las diferencias no son sólo ideológicas. Para P. R. Olson, *«Paz en la guerra* es una novela larga, seria, histórica e intrahistórica, narrativa y descriptiva, con una prosa de ritmo grave y sereno», mientras que *Amor y pedagogía* es «breve, amargamente cómica, hondamente temporal, pero no histórica, de forma narrativa casi dialogada, estructuralmente fragmentada con personales caricaturescos, casi todos de nom-

bre simbólico» («*Amor y pedagogía* en la dialéctica interior de Unamuno», *Actas del III Congreso Internacional de Hispanistas,* México, El Colegio de México, 1970, pp. 649-656; la cita en p. 650).

4. V. J. C. Mainer, *La Edad de Plata,* Madrid, Cátedra, 1983, p. 44.

5. «La plaga del nominalismo», *La Nación,* Buenos Aires, 8 de junio de 1915, incluido en *Obras completas (OC),* IV, p. 986.

6. Publicado en *La Nación,* 30 de agosto de 1915 *(OC,* IX, p. 1311).

7. Esta carta, fechada el 5 de abril de 1892, en Salamanca, aparece publicada en *Cartas inéditas de Miguel de Unamuno,* recopiladas por Sergio Fernández Larraín, Santiago de Chile-Madrid, Rodas, 1972, p. 153.

8. *La generación del 98,* Madrid, Espasa Calpe, 1945, p. 133.

9. Como dice D. L. Fabian, «In explanation of the caricature of *sociological pedagogy* one should note that this treatment of the subject is consistent with an intellectual tendency of the period» (art. cit., p. 32).

10. Ob. cit., p. 44.

11. V. G. Ribbans, ob. cit., p. 85.

12. V. M. de Unamuno, «De vuelta» y «Escritor ovíparo» *(OC,* X, pp. 103-105 y 106-109), y «A lo que salga» *(OC,* III, pp. 420-426). En estos artículos defiende su concepción de la novela vivípara.

13. «Vive al día en las olas del tiempo, pero asentado sobre tu roca *vida,* dentro del mar de la eternidad; al día en la eternidad es como debes vivir» *(OC,* III, p. 420).

14. Son continuas las referencias a la obra cervantina, v. la introducción de Manuel García Blanco a *OC,* II, p. 18.

15. Carta fechada el 12 de mayo de 1902. Publicada en *Cartas inéditas,* ed. cit., p. 279.

16. Carta fechada el 13 de mayo de 1902. Cito por M. García Blanco, «*Amor y pedagogía,* nivola unamuniana», *La Torre,* IX (1961), p. 453.

17. Fechada el 7 de febrero de 1903. Las cartas de Unamuno a Rodó fueron publicadas por Glicerio Albarrán Puente, *El pensamiento de José Enrique Rodó,* Apéndice I, Madrid, Cultura Hispánica, 1953, pp. 687-706.

18. Sobre los elementos grotescos y su función en la novela, v. Mario J. Valdés, «*Amor y pedagogía* y lo grotesco», *Cuadernos de la Cátedra «Miguel de Unamuno»,* XIII (1963), pp. 53-62. En la última página, Valdés nos dice: «Unamuno ha logrado la creación estética de una realidad que expone la incongruencia íntima del hombre por medio de esa técnica de lo grotesco» (p. 62).

19. V. Joan Corominas, «Correspondance entre M. de U. et Pere Corominas», *Bulletin Hispanique,* LXI (1959), pp. 386-436, y LXII (1960), pp. 43-77.

20. «Miguel de Unamuno, novelista y nivolista», en *El vigía*, II, Madrid, Mundo Latino, 1928, pp. 56-64.

21. Miguel Romera-Navarro, *M. de U. Novelista. Poeta. Ensayista*, Madrid, Sociedad General Española de Librería, 1928, p. 68.

22. Ob. cit., p. 43.

23. *Cartas inéditas*, ed. cit., p. 65.

24. *OC*, I, p. 602.

25. V. G. Ribbans, ob. cit., p. 103, y J. López Morillas, *Intelectuales y espirituales*, Madrid, Revista de Occidente, 1961. Sobre este personaje, v., además, R. Gullón, «El filósofo en chancletas», en ob. cit., pp. 67 y ss.

26. V. M. J. Valdés, art. cit.

27. D. L. Fabian, art. cit., p. 33.

28. G. Ribbans, ob. cit., p. 92. La figura de la madre es también la metáfora de la intrahistoria para el Unamuno contemplativo. Se ha hablado de un complejo maternal en don Miguel. En *Amor y pedagogía* vemos cómo el joven Apolodoro se sorprende del parecido entre Clarita y su madre. De todos es conocida, además, la relación que Unamuno confesó tener con su mujer, a la que consideraba el refugio y el complemento pasivo del varón (v. Carlos Blanco Aguinaga, *El Unamuno contemplativo*, México, El Colegio de México, 1959, pp. 147-209, y Luciano González Egido, *Salamanca, la gran metáfora de Unamuno*, Salamanca, Universidad, 1983, pp. 268-290).

29. Como dice R. Díaz-Peterson, «lo masculino ha sido con frecuencia para Unamuno símbolo de la Escolástica, no sólo por ser ésta una ciencia abstracta –separada de la dimensión horizontal de la naturaleza–, sino por encontrarse sobre todo en manos de un mundo masculino y clerical» («*Amor y pedagogía*, o la lucha de la ciencia con la vida», *Cuadernos Hispanoamericanos*, 384 [1982], pp. 549-560). Para comprender mejor la oposición dialéctica de las figuras del padre y de la madre en la psicología unamuniana es útil acudir a un importante suceso en la biografía de don Miguel: la muerte de su padre, cuando él sólo tenía seis años. Unamuno cuenta que se le quedó grabada en la memoria la imagen de su padre hablando en francés con un amigo; en ese acto, dice, se le reveló el misterio del lenguaje, de los lenguajes. Este recuerdo, como dice Olson, creó la imagen del padre como un «*logos* desencarnado, borrosa memoria de una forma sin sustancia... por la misma vacuidad semiótica del lenguaje con que el recuerdo le asociaba» (art. cit., p. 654).

30. Este episodio final rememora, sin duda, el intenso momento biográfico que recuerda Unamuno en *Cómo se hace una novela*: «Mi verdadera madre, sí. En un momento de suprema, de abismática congoja,

cuando me vio, en las garras del Ángel de la Nada, llorar con un llanto sobrehumano, me gritó desde el fondo de sus entrañas maternales, sobrehumanas, divinas, arrojándose en mis brazos: "¡Hijo mío!". Entonces descubrí todo lo que Dios hizo para mí en esta mujer, la madre de mis hijos, mi virgen madre, que no tiene otra novela que mi novela, ella, mi espejo de santa inconsciencia divina, de eternidad» (*OC*, VIII, p. 747; v. también la ed. de *Cómo se hace una novela* preparada por P. R. Olson, Madrid, Guadarrama, 1977, p. 83). Sobre este episodio, v. A. Sánchez Barbudo, ob. cit., pp. 88-96, y Emilio Salcedo, *Vida de don Miguel*, Salamanca, Anaya, 1964, pp. 84 y ss.

31. V., p. e., R. Gómez de la Serna, *Retratos contemporáneos*, Buenos Aires, Sudamericana, 1941, p. 414.

32. Art. cit., p. 651.

Bibliografía

1. Ediciones

Amor y pedagogía. Barcelona, Henrich y Compañía, 1902. Colección «Biblioteca de Novelistas del Siglo XX», núm. 1.

Idem. Madrid, Espasa Calpe, 1934.

Idem. Buenos Aires, Espasa Calpe, 1940, y sucesivas reimpresiones. Colección «Austral», núm. 141.

Idem. Tres novelas ejemplares y un prólogo. Presentación de José Luis Abellán. Madrid, Magisterio Español, 1967.

Idem. Nada menos que todo un hombre. Madrid, Libra, 1971.

2. Estudios

ANDERSON, Reed: «The Metaphor of the Theatre in Two Novels by M. de U.», *Studies in the 20th century,* 13 (1974), pp. 65-82.

CRIADO MIGUEL, I.: *Las novelas de M. de U. Estudio formal y crítico,* Madrid, 1986.

DÍAZ-PETERSON, R.: «*Amor y pedagogía,* o la lucha de la ciencia con la vida», *Cuadernos Hispanoamericanos,* 384 (1982), pp. 549-560.

DOMENCHINA, Juan José: «*Amor y pedagogía*» en *Crónicas de Gerardo Rivera,* Madrid, Aguilar, 1935, pp. 138-142.

FABIAN, Donald L.: «Action and Idea in *Amor y pedagogía* and *Prometeo*», *Hispania*, XLI (1958), pp. 30-34.

GARCÍA BLANCO, Manuel: «*Amor y pedagogía*, nivola unamuniana», *La Torre*, IX (1961), pp. 443-478.

LIVINGSTONE, L.: «U. and the Aesthetic of the Novel», *Hispania*, XXIV (1941), pp. 442-450.

MARÍAS, Julián: *Miguel de Unamuno*, Barcelona, Gustavo Gili, 1968, esp. pp. 81-83.

NICHOLAS, R. L.: *Unamuno narrador*, Madrid, Castalia, 1987.

OLSON, P. R.: «*Amor y pedagogía* en la dialéctica interior de Unamuno». *Actas del III Congreso Internacional de Hispanistas*, México, El Colegio de México, 1970, pp. 649-656.

— «The Novelistic Logos in Unamuno's *Amor y pedagogía*», *Modern Language Notes*, 84 (1969), pp. 248-268.

RIBBANS, Geoffrey: «The Development of Unamuno's Novels *Amor y pedagogía* and *Niebla*», en *Hispanic Studies in Honour of I. González Libera*, Oxford, 1959, pp. 267-285.

— *Niebla y soledad. Aspectos de Unamuno y Machado*, Madrid, Gredos, 1971, pp. 83-107.

VALDÉS, Mario J.: «*Amor y pedagogía* y lo grotesco», *Cuadernos de la Cátedra «Miguel de Unamuno»*, XIII (1963), pp. 53-62.

Prólogo a la primera edición

Hay quien cree, y pudiera ser con fundamento, que esta obra es una lamentable, lamentabilísima equivocación de su autor.

El capricho o la impaciencia, tan mal consejero el uno como la otra, han debido de dictarle esta novela o lo que fuere, pues no nos atrevemos a clasificarla. No se sabe bien qué es lo que en ella se ha propuesto el autor, y tal es la raíz de los más de sus defectos. Diríase que, perturbado tal vez por malas lecturas y obsesionado por ciertos deseos poco meditados, se ha propuesto ser extravagante a toda costa, decir cosas raras, y lo que es peor aún, desahogar bilis y malos humores. Late en el fondo de esta obra, en efecto, cierto espíritu agresivo y descontentadizo.

Es la presente novela una mezcla absurda de bufonadas, chocarrerías y disparates, con alguna que otra delicadeza anegada en un flujo de conceptismo. Diríase que el autor, no atreviéndose a expresar por propia cuenta ciertos desatinos, adopta el cómodo artificio de ponerlos en boca de personajes grotescos y absurdos, soltando así en broma lo que acaso piensa en serio. Es, de todos modos, un procedimiento nada recomendable, aunque muy socorrido.

A muchos parecerá esta novela un ataque, no a las ridiculeces a que lleva la ciencia mal entendida y la manía pedagógica sacada de su justo punto, sino un ataque a la ciencia y a la pedagogía mismas, y preciso es confesar que si no ha sido tal la intención del autor –pues nos resistimos a creerlo en un hombre de ciencia y pedagogo–, nada ha hecho, por lo menos, para mostrárnoslo.

Parece fatalmente arrastrado por el funesto prurito de perturbar al lector más que de divertirle, y sobre todo de burlarse de los que no comprenden la burla. No sabemos bien por qué un hombre serio en su conducta, que ocupa una posición y que ni hace ni dice nada que se salga de los términos corrientes y ordinarios, padece de una morbosa manía contra las personas graves y aborrece tanto a los que no se salen nunca de su papel y adoptan siempre un continente servero. Acostumbra decir que todo hombre grave es por debajo tonto de capirote, y no tiene razón en esto.

Esta su manía de atribuir más a tontería que a maldad las mezquindades humanas acusa una cualidad de que debe curarse. Parece imposible que un hombre que lee, según nuestros informes, con alguna asiduidad los Evangelios, no haya meditado más en el versillo 22 del capítulo V del Evangelio de San Mateo.

Mas repetimos que el defecto más grave que a esta obra puede señalársele es que no se sabe a punto fijo qué es lo que en ella se propone su autor, pues nos resistimos a creer que no se proponga más que hacer reír a unos y escandalizar a otros.

Perjudícale en gran manera la aversión que al dictado de sabio tiene y el empeño ridículo que pone en que no se lo apliquen. No acertamos a explicarnos por qué le molesta tanto ese tan honroso nombre, como no acertamos a explicarnos el que, escribiendo con tanta frecuencia y siendo profesor de literatura griega, ponga tanto cuidado en no escribir nunca de semejante literatura. ¿Será que la conoce mal y teme mostrar su flaqueza en aquello de que oficialmente es maestro? No sabremos decirlo.

Otra manía tiene que le daña también mucho, y es la manía contra la literatura española. Tan mal la conoce o con tal suma

de prejuicios la estudia –si es que la estudia– que suele decir
que es la literatura española el más claro espejo de la vulgari-
dad y la ramplonería, y que el espíritu que en ella se refleja es
un espíritu ahíto del más embrutecedor sentido común. Y a la
vez que siente aversión hacia la literatura española, siéntela, y
no menor, hacia la francesa, y cuando el espíritu de una y otra
se fusionan, surge algo que para él se simboliza en Moratín.
Cuando de Moratín habla –le hemos oído hablar de él varias
veces– pierde los estribos, y no reconoce mesura alguna. «Mora-
tín es un abismo de vulgaridad y de insignificancia –le hemos
oído decir–; sus obras son el más insípido manjar que puede
darse; ni tiene sentimiento, ni imaginación, ni inteligencia; es
frío, no ha ideado ni una sola metáfora nueva, no piensa más
que con el pensamiento de todo el mundo, es sencillamente un
caso de imbecilidad por sentido común.» No sabemos que haya
escritor a quien aborrezca más que a éste, no siendo a Jenofon-
te. ¿Qué le habrá hecho Jenofonte?

Sí, ésta es la cuestión: ¿qué le habrá hecho Jenofonte? Y puede
ampliarse preguntando qué le habrá hecho Moratín, y qué la lite-
ratura española y francesa, y hasta el mismo espíritu español qué
es lo que le habrá hecho. Porque lo primero que de un escritor
debe exigirse es que tenga respeto a su público y le trate lealmen-
te, y, la verdad, a las veces se exterioriza de tal modo en sus escri-
tos el autor de esta novela, que nos parece no llega su respeto al
público que le lee al punto que debiera llegar, y esto es imperdona-
ble. El público tiene ante todos los demás y sobre todos los demás
el indisputable derecho de saber cuándo se le habla en broma y
cuándo en serio, si bien es cierto que le divierte el que se le hable
con cierta seriedad fingida o con cierta fingida broma, según los
casos. Ocasiones hay en que un lector suspicaz pudiera creer que
no se propone nuestro autor otra cosa sino que sus lectores digan:
«Esto ya pasa de la raya...; este hombre quiere tomarnos el pelo».
Y tal propósito, si le hubiera, es, en verdad, intolerable.

Todas estas y otras aberraciones de su espíritu, que por no
recargar este juicio pasamos en silencio, le han llevado al señor

Unamuno a producir una obra como ésta, que es, lo repetimos, una lamentable, lamentabilísima equivocación.

Obsérvese, en primer lugar, que los caracteres están desdibujados, que son muñecos que el autor pasea por el escenario mientras él habla. El don Avito nos hace sufrir una decepción, pues cuando todo hace suponer que impondrá un severo régimen pedagógico a su hijo, nos encontramos con que es un pobre imbécil que le tupe de cosas de libros, pero dejándole hacer, y que se entrega al don Fulgencio sin advertir las mixtificaciones de éste. De Marina vale más no hablar; el autor no sabe hacer mujeres, no lo ha sabido nunca.

De buena gana nos detendríamos en analizar al don Fulgencio, que es acaso la clave de la novela; pero el autor mismo nos lo ha descubierto, descubriendo a la par otras cosas que mejor estarían ocultas, cuando en la última entrevista que el grotesco filósofo tiene con Apolodoro le habla del erostratismo.

Poco hemos de decir del estilo. No más sino que peca de seco, y a las veces de descuidado, y que eso de escribir el relato en presente siempre no pasa de ser un artificio que afortunadamente no tendrá éxito. Lo que sí hemos de hacer notar es que después de las prédicas del autor por esas revistas y periódicos en pro de la reforma o revolución de la lengua castellana, escribe ésta lo más llana y lisamente posible, y si no la hace más castiza es porque no puede. En el fondo hay que reconocer que no tiene el sentido de la lengua, efecto sin duda de lo escaso y turbio que es su sentido estético. Diríase que considera a la lengua como un mero instrumento, sin otro valor propio que el de su utilidad, y que, como el personaje de esta novela, echa de menos la expresión algébrica. Vese su preocupación por dar a cada vocablo un sentido bien determinado y concreto, huyendo de toda sinonimia, de hacer una lengua precisa, suene como sonare. Realmente, hay que hacerle la justicia de reconocer que cuando resulta oscuro no es por defecto de expresión ni de lenguaje, sino por cierto retorcimiento conceptista y por un vituperable empeño de decir cosas que se salgan de lo vulgar.

A pesar de todo lo que acabamos de decir, parécenos que es ésta una obra digna de detenida atención y que hay en ella elementos y partes que la hacen recomendable. Y no precisamente por lo que el autor ha querido poner en ella, sino por lo que, a pesar suyo, no ha podido dejar de poner. Es casi seguro que lo valioso de esta novela es lo que en ella tiene por poco menos que desdeñable su autor, siendo, en cambio, de lamentar la inclusión de todo aquello otro en que parece haberse esmerado más éste.

Antójasenos que por debajo de todas las bufonadas y chocarrerías, no siempre del mejor gusto, se delata el culto que, mal que le pese, rinde a la ciencia y a la pedagogía el autor de esta obra. Si de tal modo se revuelve contra el intelectualismo es porque lo padece como pocos españoles puedan padecerlo. Llegamos a sospechar que empeñado en corregirse se burla de sí mismo.

Mas es éste un terreno delicadísimo, y en él no queremos entrar.

Antes de terminar este prólogo, cúmplenos hacer una manifestación, para satisfacer con ella un deseo del autor. Cuando éste se dispuso a dar al público su obra, a pesar de los consejos que de ello pretendían disuadirle, preocúpase ante todo del tamaño y forma que había de dar al libro, pues nos manifiesta que da gran importancia a este punto.

Dice, en efecto, que hallándose el verano pasado en Bilbao, su pueblo nativo, y en una librería donde tiene consignados ejemplares de su novela Paz en la guerra y de sus Tres ensayos, le manifestó el librero que cuando volviese a publicar otro libro se cuidara mucho de su volumen y condiciones materiales, procurando que, a poder ser, tengan sus obras todas un mismo tamaño. A cuyo respecto le contó el librero lo que con uno de sus clientes le había ocurrido.

Fue el caso que un sujeto le había pedido en varias ocasiones las obras completas de Galdós, Pereda, Valera, Palacio Valdés y otros escritores de fama y éxito, y se las había servido. Pidióle luego las de Picón, y cuando llegaron éstas torció el cliente el

gesto y les puso mala cara porque no eran todas de un mismo
volumen, sino unas más largas y otras más anchas.

–¿Y cómo las voy a encuadernar como «Obras completas de
don Jacinto Octavio Picón», si presentan tanta diversidad de
tamaños?

El librero, como se trataba de un buen cliente, se ofreció en su
obsequio a quedarse con ellas, y así se acordó, no llevándose el
cliente más que dos o tres, las que más le interesaban, o sea, las
iguales en tamaño y forma. Y comentando luego el sucedido,
decía el librero al señor Unamuno que procurara que sus libros
todos fueran uniformes, pues así los vendería mejor.

Porque es indudable que hay quienes compran los libros
para leerlos, y son los menos, y hay quienes los compran para
formar con ellos biblioteca, y son los más. Y en una biblioteca
está feo que los libros de un autor, que han de aparecer juntos,
no puedan alinearse en perfecta forma y sin ningún saliente, ni
hacia arriba ni hacia adelante.

Mas como por ahora no publica el señor Unamuno más que
para lectores, y no para bibliófilos, parécennos de poca impor-
tancia sus escrúpulos y que debe dejar esas importantes consi-
deraciones para cuando dé a la estampa su colección de «Obras
completas», que nos complacemos en creer no ha de tardar mu-
cho en hacerlo. Entonces publicará para las bibliotecas; por
ahora, debe contentarse con publicar para los lectores.

El mismo autor está conforme con estas consideraciones y le
es indiferente, por ahora, el tamaño y demás condiciones mate-
riales en que ha de aparecer su libro. Tal vez influya en esto,
como en su estilo, cierto desdén, no bien justificado sin duda,
hacia las formas exteriores.

Hechas tales manifestaciones, invitamos al lector a que entre en
la lectura de una obra de la que ha de sacar algún deleite y cree-
mos que también algún provecho.

[1902]

Prólogo-epílogo a la segunda edición

Para ir a dar al público, a mi público, esta segunda edición de mi novela Amor y pedagogía, *me he creído en el deber –doloroso deber, como todo examen íntimo de recuerdos de vida y de muerte– de volver a leerla. Al cabo de más de treinta años. Pues la primera edición fue publicada en 1902 en la «Biblioteca de novelistas del siglo XX», que dirigía en Barcelona mi amigo Santiago Valentí Camp y editaban Henrich y Compañía. Y después de haberla releído me he creído en el deber de escribir, a mi manera, afanosa y acezante, este prólogo, que es, a la vez, un epílogo, resón de aquellos prólogos y epílogo que puse a la primera edición de ella.*

¡Treinta años y pico! ¡Y qué pico más picoteador y hasta más picante! Más de treinta años han pasado por mí. No, no han pasado, sino que se me han quedado. ¡Y cómo! ¡Qué años de apretada vida natural, civil y espiritual, de historia familiar y de historia patria! Y de historia universal. En estos treinta años largos he tenido dos hijos más, y se me han muerto dos. Y aún me resuena lo que hace más de treinta años le decía, con dejo y unto de lágrimas entrañadas en la voz, mi don Fulgencio Entrambosmares a mi pobre Apolodoro: «Vivir yo, yo, yo, yo, yo... Pero haz hijos, Apolodoro, haz hijos». Y me resuena, más dolo-

rosamente aún lo que la pobre Marina, la Materia de este rela-
to, le decía al desdichado Avito Carrascal: «¡Por Dios, Avito, por
Dios! Fenómeno, no..., no..., no...». Y debo pasar sobre otra tra-
gedia íntima, entrañada. ¿Qué le importan al lector estas ínti-
mas... cosas?

A esta novela precedió otra de las mías, que fue Paz en la guerra, *relato histórico de la guerra civil carlista de 1874, y le si-*
guieron otras ya en tono distinto. De éstas que para dar aside-
ro a la terrible pereza mental de nuestro público –no de nuestro
pueblo– llamé en un momento de mal humor, nivolas. *Relatos*
dramáticos acezantes, de realidades íntimas, entrañadas, sin
bambalinas ni realismos en que suele faltar la verdadera, la
eterna realidad, la realidad de la personalidad. Y he seguido
desarrollando con más sosiego acaso, pero no con menos dolor,
las visiones de estas «profundas cavernas del sentido», que dijo
San Juan de la Cruz. Y es que según iba viviendo –y muriendo–
yo, iban viviendo –y muriendo– mis novelas, iba viviendo y
muriendo mi novela. Viviendo –y muriendo– en París, en
1924, publiqué en francés, en el Mercure de France, la primera
redacción de lo que luego fue, ampliada, mi Cómo se hace una
novela, *publicada en Buenos Aires, y vuelta a traducir este año*
y a publicarse en Francia. Y en esta novela está toda la trage-
dia, no del novelista, sino de la novela misma.

En esta novela que ahora vuelvo a prologar está en germen –y
más que en germen– lo más y lo mejor de lo que he revelado
después en mis otras novelas: Abel Sánchez, La tía Tula, Nada
menos que todo un hombre, Niebla *y, por último,* San Manuel
Bueno, mártir, *y tres historias más. De éstas han sido hasta*
ahora traducidas a lenguas extranjeras todas menos la última,
que la van a traducir al francés. Y debo decir a mi lector que de
mis obras novelescas o no –aunque todo, y sobre todo la filoso-
fía, es, en rigor, novela o leyenda–, traducidas hasta hoy a ca-
torce idiomas, la más traducida, pues lo ha sido a diez de ellos,

es Niebla. Y *es que en ella acerté, más que en otra alguna, a descubrir el fondo de la producción poética, de la producción de leyendas.*

«Esto es una tragicomedia, amigo Avito», le decía a éste mi don Fulgencio. Y luego: «Yo, Fulgencio Entrambosmares, tengo conciencia del papel de filósofo que el autor me repartió, de filósofo extravagante a los ojos de los demás cómicos, y procuro desempeñarlo bien». Con todo lo que sigue y que el lector verá, si lo lee, en el texto de esta novela. Como verá en él que el pobre Apolodoro «empieza a amar para hacer literatura y ha erigido dentro de sí el teatro y se contempla y se estudia y analiza su amor». Y luego lo que decía Hildebrando F. Menaguti, poeta, que «los grandes amores tienen por fin producir grandes obras poéticas; los amores vulgares terminan en hacer hijos; los amores heroicos, en hacer poemas, o cuadros, o sinfonías». Sólo que Menaguti, poeta, pero no padre, ignoraba que no hay obra poética más grande que un hijo o hija.

Un crítico muy inteligente, muy sentitivo y muy comprensivo me ha llamado «desterrado». Y, en efecto, me siento un desterrado en el sentido de la Salve, donde los cristianos católicos se dirigen a la Virgen María llamándose a sí mismos «desterrados hijos de Eva», exules filii Evae... Y en este destierro, en este que llaman «valle de lágrimas», in hac lacrimarum valle, sienten la comedia no más que como comedia, y para la realidad íntima, para la realidad de las personas, no les estorba el tablado, ni los bastidores, ni las bambalinas, ni el público mismo. Su espiritualismo –más bien que idealismo– les libra de caer en el engañoso realismo de lo aparencial. Idealismo propiamente no, porque, ¿qué importan las ideas, las ideas intelectuales? Por esto, el sentimiento, no la concepción racional del universo y de la vida, se refleja mejor que en un sistema filosófico o que en una novela realista, en un poema, en prosa o en verso, en una leyenda, en una novela. Y cuento entre las grandes novelas –o poemas épicos, es igual–, junto a la Ilíada y la Odisea y la Di-

vina Comedia y *el* Quijote y *el* Paraíso perdido y *el* Fausto, *también la* Ética *de Spinoza y la* Crítica de la razón pura *de Kant y la* Lógica *de Hegel y las historias de Tucídides y de Tácito y de otros grandes poetas historiadores, y desde luego los Evangelios de la historia de Cristo.*

Al frente de la primera edición de esta obra, la de 1902, aparecía esto, que se reproduce ahora: «Al lector, dedica esta obra, El Autor». *Al lector, y no a los lectores, a cada uno de éstos, y no a la masa –público–, que forman. Y en ello mostré mi propósito de dirigirme a la íntima individualidad, a la individual y personal intimidad del lector de ella, a su realidad, no a su aparencialidad. Y por eso le hablaba a solas los dos, oyéndonos los respiros alguna vez las palpitaciones del corazón, como en confesonario. Que ésta no es obra de púlpito. Ni de tribuna política. Lo que le libra, en lo posible, de cierta retórica inevitable en esas actividades. Obra de confesor y no de publicista. De confesor y de confesado.*

Ha sido después cuando el Hado de la Providencia me llevó a una actividad pública y de publicista para el público, para la masa de los lectores y de los oyentes, y con ello a un menester de demagogia –acentúese en la i, *como en* pedagogía*–, de conducción o educación de pueblo niño. Y si hace más de treinta años medité dolorosamente sobre el amor y la pedagogía, cuánto tengo ahora que meditar sobre el amor y la demagogia (con* í*). El pobre don Avito Carrascal quiso de su hijo, mediante la pedagogía hacer un genio, y nosotros queremos hacer, mediante la demagogia, de nuestros hijos, y lo que es peor, de los hijos de nuestros prójimos, de sus padres naturales y espirituales, unos ciudadanos. Unos ciudadanos republicanos o monárquicos, comunistas o fajistas, creyentes o incrédulos. Por esto nuestra Constitución republicana todavía hoy vigente habla de* «actividad metodológica», *a la vez que habla de* «trabajadores de toda clase», *de que hay garantir a todo español* «una existencia digna» *y de que hay que proteger también...* «a los pescadores».

Ni a mi don Fulgencio se le habrían ocurrido tan sabrosas sali-
das metodológicas y demagógicas. En el recto y primitivo sentido de este último término.

El niño es del Estado, y debe ser entregado a los pedagogos
–demagogos– oficiales del Estado, a los de la escuela única.
«¡Pobre conejillo! ¡Pobre conejillo!», exclamaba Apolodoro en
la policlínica del doctor Herrero, adonde le llevó su padre a ver
los conejillos –cuines– en quienes se hacían experiencias pato-
lógicas. El pobre Apolodoro se suicidó. Haga Dios que no tengan que suicidarse –mental y espiritualmente, se entiende–
nuestros Apolodoros.

Y aquí me acuerdo de lo de aquel jesuita que escribió que me
obsesiona el suicidio, que me complazco en hablar de él, y llegó
a afirmar que soy un inductor de suicidio. Y en esta misma novela mi don Fulgencio, hablando del terrible humorista de
Danzig, de Schopenhauer, y de cómo su padre se suicidó y su
madre escribió novelas, decía que «acaso el suicidio fue la novela de su padre y las novelas fueron el suicidio de su madre».
¡Hay tantas novelas que no son más que suicidios mentales ma-
rrados!

¡Pobres conejillos! ¡Pobres conejillos! Y luego viene lo del respeto a la conciencia del niño, como si el niño tuviese conciencia. Y sobre todo, ¿qué es eso de los derechos de los padres? Santo Tomás de Aquino enseñaba que no hay derecho a bautizar a
un niño contra la voluntad de sus padres, aunque así se pierda,
pues ante todo está la libertad de conciencia de los padres de hijos que no la tienen. Y aun hay quien ha propuesto, aquí, en España, establecer por cuenta del Estado la pedagogía socialista,
que no sé qué sea como no que derive de la astronomía social
de que habló un caudillo político. ¡Pobres conejillos!

«Sé tú, tú mismo, único e insustituible», le decía mi don
Fulgencio al pobre conejillo Apolodoro. Luego desarrollé yo, su
autor, en mi obra –novela también– Del sentimiento trágico
de la vida, ese mismo tema. Mejor está lo de Píndaro: «¡Hazte
el que eres!». Pero ¿quién es uno? ¡Y que se nos vengan con esa

mandanga del respeto a una conciencia que no está hecha y que hay que hacer!

Esa conciencia se hace en los primeros años, por el amor a la leyenda y al absurdo, como le decía a don Avito, al padre de Apolodoro, don Fulgencio. Al absurdo, que nos libera de la lógica, y al juego de crear, de hacerse poeta, creador, creando palabra sin sentido: Pachulili, pachulila, titamini. «¿Sin sentido? –escribí yo entonces–. ¿No empezó así el lenguaje? ¿No fue la palabra primero y su sentido después?» Más de treinta años de haber escrito esto he recogido de boca de mi nietecito Miguel, entre otros dos preciosos sones: oplapistos y cutibatunga, y todavía les estoy buscando sentido. Es como cuando traza al azar creador unos caprichosos dibujos y me pregunta: «¿Qué es esto, abuelo?» ¡El son y el sentido! ¡La palabra pura y su razón! Ugo Fóscolo, en Le Grazie, hizo el verso que dice:

> Sdegno il verso che suona e che non crea,

esto es: «desdeño el verso que suena y que no crea», y Carducci comentaba: «¡Oh creadores, el son de por sí es el éter del verso y a las veces efectúa lo que no podría la palabra!» Y Mallarmé, que los versos se hacen con palabras no con ideas, ni siquiera con imágenes. La palabra, el verbo, el sentido, y con él, inseparable, el son, el soplo, el espíritu. Que espíritu quiere decir respiro, soplo, son. Y la inspiración –la mejor es respiración del alma– es son. ¿Qué sería del Verbo, del Logos, sin el Espíritu Santo, el Pneuma? Y hay versos que crean por el son. Tal aquel: «tan callando...» que sigue al: «cómo se viene la muerte...».

Y aquí, en expiación de una culpa, debo decir cómo me estuve burlando mucho tiempo de aquella quintilla de Zorrilla que dice:

> Pasó un día y otro día,
> un mes y otro mes pasó,
> y un año pasado había,
> mas de Flandes no volvía
> Diego, que a Flandes partió,

*y que aprendí en la clase de Retórica y Poética a mis doce años.
Y solía recitar o declamar esos y otros versos encaramado en un
membrillo de la huerta de mi abuela materna en Deusto, donde pasábamos veranos y otoños, como lo he narrado en mis Recuerdos de niñez y de mocedad. Años después, recordándolos,
solía decir: «¿Pero esto es poesía? Tradúzcase a otra lengua o
póngaselo en prosa, y a ver qué dice». Hasta que alguien me
hizo notar cómo es que se me habían pegado esos versos a la
más íntima memoria y cómo los paladeaba en ella. Y es verdad. Y al paladearlos me llegan con la fragancia del membrillo
entre el verdor del follaje y bajo el dulce azul de aquel cielo de
Deusto que me brizó tantos ensueños virginales. Y esto mismo
que acabo de escribir, ¿no es ante todo son, respiro?*

*Mas... tengo que rematar, lector, este prólogo-epílogo, pues no
debo escribir sólo para mí mismo, en íntimo monólogo de desterrado. Y antes de rematarlo, una advertencia, y es que los
Apuntes para un tratado de cocotología –vocablo que ha logrado cierta boga– nada tienen que ver con un tratado del mo-
delado en papel que me comprometía a escribir –y en francés–
en París. Las más de las diversas pajaritas que ahora pliego y
modelo –águilas, patos, cisnes, cochinos, monos, focas, mons-
truos...– no las había inventado cuando plegué esos Apuntes.
La inspiración de ellas me vino después.*

*Otra observación tengo que hacer. Es que en el capítulo o
sección XI hay un monólogo mental de Apolodoro en que pensando éste, al ver flotar un cadáver de hombre por el río, en el
principio de Arquímedes, se dice un disparate científico al pensar que el peso específico del agua es de cero, cuando se le ha señalado el de uno. Pues todo exacto pedagogo sabe que a ningún
cuerpo se le ha señalado el peso específico de cero, como se le ha
señalado el cero en el termómetro al punto de congelación del
agua, pues eso nos obligaría a marcar los pesos específicos inferio-
res al del agua por cantidades negativas, como decimos 2, 3, 4, n
–¡qué cómoda es esta n!– grados bajo 0, en vez de marcar-*

*los por números fraccionarios: 1/2, 1/3, 1/n, etc. Y esta observa-
ción la hago como pedagogo y para que no se crea que mi actitud respecto a la pedagogía se debe a mi ignorancia científica.
Por lo cual renuncio a disertar ahora y aquí sobre el peso del
vacío, que es seguramente lo que más nos pesa. Y valga esto que
los majaderos llamarían paradoja. Porque si empezara ahora,
en este prólogo-epílogo, a disertar sobre el peso del vacío que es
en el orden espiritual el tedio –la noia leopardiana– y lo rela-
cionase con el suicidio de Apolodoro y con el lento suicidio que
es toda novela, ¿a dónde iríamos, lector, a parar? Parémonos,
pues, aquí.*

*Parémonos. Me has venido, lector, acompañando en este
mutuo monodiálogo; me lo has estado inspirando, soplando sin
tú saberlo me has estado haciendo mientras yo lo estaba haciendo y te estaba haciendo a ti como lector. Gracias, pues, gracias de corazón, por ello. Y como es tu obra, se te ofrece tuyo*

EL AUTOR
[1934]

Amor y pedadogía

Uno

Hipótesis más o menos plausibles, pero nada más que hipótesis al cabo, es todo lo que se nos ofrece respecto al cómo, cuándo, dónde, por qué y para qué ha nacido Avito Carrascal. Hombre del porvenir, jamás habla de su pasado, y pues él no lo hace de propia cuenta, respetaremos su secreto. Sus razones tendrá cuando así lo ha olvidado.

Preséntasenos en el escenario de nuestra historia como joven entusiasta de todo progreso y enamorado de la sociología. Vive en casa de huéspedes, ayudando con sus sabias disertaciones de sobremesa, y aun de entre platos, la digestión de sus compañeros de alojamiento.

Vive Carrascal de sus rentas y ha llevado a cima, a la chita callando, sin que nadie de ello se percate, un hercúleo trabajo, cual es el de enderezar con la reflexión todo instinto y hacer que sea en él todo científico. Anda por mecánica, digiere por química y se hace cortar el traje por geometría proyectiva. Es lo que él dice a menudo: «Sólo la ciencia es maestra de la vida», y piensa luego: «¿No es la vida maestra de la ciencia?»

Más su fuerte está en la pedagogía sociológica:

41

–Será la flor de nuestro siglo –dice de sobremesa, mientras casca unas nueces, a Sinforiano, su admirador–; nadie sabe lo que con ella podrá hacerse...

–Hay quien cree que llegará a hacerse hombres en retorta, por síntesis químico-orgánica –se atreve a insinuar Sinforiano, que está matriculado en Ciencias Naturales.

–No digo que no, porque el hombre, que ha hecho los dioses a su imagen y semejanza, es capaz de todo; pero lo indudable es que llegará a hacerse genios mediante la pedagogía sociológica, y el día en que todos los hombres sean genios... –engúllese una nuez.

–Pero ¡qué teorías, don Avito! –prorrumpe sin poder contenerse el matriculado en Ciencias Naturales.

–¿Usted sabe, Sinforiano amigo, cómo hacen su reina las abejas?

–No, todavía no hemos llegado a eso...

–Entonces no sé si debo..., porque el método...

–¡Oh, sí, sí, don Avito, sí! ¡Qué teorías! ¡Qué teorías!

–Pues es el caso que cogen un huevecillo cualquiera de hembra, uno cualquiera, uno como los demás, fíjese bien en esto, Sinforiano, un vulgar huevecillo de hembra, y mediante un trato especial y régimen de distinción, alimentando a la larva con *pasta real* o regia, mediante una acertada pedagogía abejil o, si hemos de hablar técnicamente, melisagogía, sacan de él la reina...

–¡Qué teorías! ¡Oh, qué teorías!

–No, amigo Sinforiano, no; son hechos. Y lo que hacen las abejas con sus larvas, ¿por qué no hemos de hacer con nuestros hijos los hombres? Tómese un niño, un niño cualquiera, con tal que sea niño y no niña...

–¿Me permite usted, don Avito... –y ante el silencio del teorizante, prosigue Sinforiano–: por qué ha de ser precisamente niño?

–¿Y por qué ha de salir la reina precisamente de hembra? En la especie humana, el genio ha de ser por fuerza masculino.

–¡Qué teorías!

–Tómese un niño cualquiera, digo, tómesele desde su estado embrionario, aplíquesele la pedagogía sociológica, y saldrá un genio. El genio se hace, diga el refrán lo que quiera; sí,
se hace..., se hace..., y ¿qué no se hace? Y lo demostraré...

Y ante el silencio de Sinforiano, que mira y calla, añade Carrascal, rompiendo una nuez:

–¿Que cómo lo demostraré? ¿Cómo? ¡Pues... con hechos!

–¡Oh, los hechos! –suspira Sinforiano.

–¡Los hechos...! –repercute Carrascal, y quedan ambos mirando a la patrona, que pasa con un flan para el Delegado,
que come aparte, en su cuarto.

–¿Están buenas las nueces? –les pregunta doña Tomasa.

–El hecho es que las más de ellas están huecas –contesta
Carrascal.

–No puede ser, don Avito, porque son recientes y de veinticuatro perras celemín...

–No puede ser, señora doña Tomasa, ¡pero es! –responde
con energía Carrascal.

Y así que ha despejado el campo doña Tomasa, yéndose
envuelta en su prosaico vaho de cocina, Avito continúa:

–Con hechos, sí, amigo Sinforiano, ¡con hechos!

–¡Oh, los hechos!

–Tiempo hace que maduro un vasto plan para llevar a la
práctica mis teorías, aplicando mi pedagogía sociológica *en
tabula rasa*...

–¿Se va a hacer maestro?

–Algo más hondo.

–¿Más hondo?

–Más hondo, sí, voy a hacerme padre!

«¿Se hace uno padre o le hacen tal?», piensa el matriculado
en Ciencias Naturales, traduciéndolo en esta frase:

–¡Qué teorías, don Avito! ¡Oh, qué teorías!

Y se levantan de la mesa, para madurar su plan el uno, para
estudiar el otro la lección del día siguiente. Porque Sinforia-

no, como buen chico que es, se lleva siempre una lección por
delante y unas cuantas por detrás.

Medita, en efecto, Carrascal buscar mujer a él y a su obra
adecuada, y con ella casarse para tener de ella un hijo en
quien implantar su sistema de pedagogía sociológica y hacerle genio. Por amor a la pedagogía va a casarse deductiva-
mente.

Porque es de saber, antes de proseguir nuestro relato, que
los matrimonios pueden ser inductivos o deductivos. Ocurre,
en efecto, con harta frecuencia, que rodando por el mundo se
encuentra el hombre con un gentil cuerpecito femenino que
con sus aires y andares le hiere las cuerdas del meollo del es-
pinazo, con unos ojos y una boca que se le meten al corazón,
se enamora, pierde pie, y una vez en la resaca no halla mejor
medio de salir a flote que no sea haciendo suyo el garboso
cuerpecito con el contenido espiritual que tenga, si es que le tiene. He aquí un matrimonio inductivo. En otros casos, acontece
que al llegar a cierta edad experimenta el hombre un inexplica-
ble vacío, que algo le falta, y sintiendo que no está bien que esté
el hombre solo, se echa a buscar viviente vaso en que verter
aquella redundancia de vida que por sensación de carencia se le
revela. Busca mujer entonces y con ella se casa en matrimonio
deductivo. Todo lo cual equivale a decir que, o ya precede la novia a la idea de casarse, conduciéndonos aquélla a ésta, o ya el
propósito del casorio nos lleva a la novia. Y el matrimonio del
futuro padre del genio tiene que ser, ¡claro está!, deductivo.

Y como un hombre moderno, por mucho que en la pedagogía sociológica crea, no puede dejar de creer en la ley de la
herencia, cavila noche y día Avito acerca del temperamento,
idiosincrasia y carácter que su colaboradora ha de tener. Porque eso de que el huevecillo del futuro genio haya de ser un
huevecillo como los demás, está bien en teoría, como postulado y punto de arranque de nuestra pedagogía, para los ma-
triculados en Ciencias, pero... ¿hemos de despreciar el instinto? A buscar, pues, novia.

Sentado ante su mesa, bien arrebujadas las piernas en una manta que imita una piel, y en largas horas de meditación fecunda, ha trazado Avito en unas cuantas cuartillas los caracteres antropológicos, fisiológicos, psíquicos y sociológicos que la futura madre del futuro genio ha de tener. Y tales caracteres en ninguna encarnan mejor que en Leoncia Carbajosa, sólida muchacha dólico-rubia, de color sano, amplias caderas, turgente y levantado pecho, mirar tranquilo, buen apetito y mejores fuerzas digestivas, instrucción variada, pensar libre de nieblas místicas, voz de contralto y regular dote. Avito ha puesto sus ojos en los de ella, por si éstos le dicen algo; pero Leoncia, a fuer de futura madre de genio futuro, no responde más que con la boca, y eso cuando se le pregunta.

Decidido a la conquista de Leoncia, pónese Avito a redactar con tiento y medida eso que se llama carta de declaración. La cual no cabe sea, ¡naturalmente!, centón de esas encendidas frases que el amoroso instinto dicta, sino reposados argumentos que de la científica teoría del matrimonio derivan. Y del matrimonio mirado a luz sociológica. Doce horas, en seis noches consecutivas, le cuesta el documento. Y no es la cosa para menos, porque cuando al rodar de los años se estudie al genio obtenido por pedagogía, pieza de escogido estudio habrá de ser, sin duda, la *Carta Magna* que de preludio le sirve. Escríbela, por tanto, Avito para la posteridad, a través de Leoncia, la dólico-rubia de anchas caderas. Es todo un informe amoroso; allí, con la precisa hoja de parra, las ineludibles necesidades orgánicas; allí psicología del amor sexual al alcance de las Leoncias Carbajosas y de la posteridad a que resumen, con el genio de la especie y demás metafísicas; allí la ley de Malthus, allí la tendencia sociológica a la monogamia, y allí, en fin, el problema de la prole. Cuajado todo ello en un sutil tejido en que se le suelta a la imaginación su parte, haciéndole ver, cual tentador señuelo, allá, en gloriosa lontananza, al espléndido genio. Lee y relee el expediente, corrigiéndolo a cada lectura, se lo recita tomándose de posteridad, y cuando lo ha visto bueno saca de él copia y se guarda la pieza original, esperando coyuntura propicia de que a la interesada se le traslade. Quiere antes prepararla para que sea menos brusca la emoción que le cause y el efecto útil mayor.

Dirígese Avito a casa de Leoncia a iniciar el advenimiento del genio.

–No hagas caso, Leoncia; ésas son cosas de mi hermano, y a un hombre que como mi hermano tiene cosas se le oye como quien oye llover...

–Es que como empiezo a padecer de reúma, me gusta poco el oír llover...

–¡Don Avito Carrascal! –anuncia la criada en este punto.

–¿Le conoces? –pregunta Leoncia a Marina.

–De oídas tan sólo...

–Pues merece que te lo presente.

Y así que al entrar don Avito ha saludado a Leoncia, ésta:

–Avito Carrascal, mi buen amigo... Marina del Valle, mi casi hermana.

–¿Del Valle? –mormojea Avito mientras, acariciando en el bolsillo el amoroso informe, se dice: «Pero ¿qué es esto?, ¿qué es esto que me pasa?, ¿qué me pasa?, ¿dónde he tratado yo mucho a esta muchacha? ¡Pero si no la he visto hasta hoy! ¿Qué es esto?»

–¡Hermoso día! –exclama Leoncia.

–Es que estamos ya en primavera, Leoncia –dice Marina.

–¡Exactísima observación! Ayer, equinoccio... Sin embargo, la savia de los vegetales... –y se detiene Avito al ver que los tersos ojazos de Marina se orientan a los suyos y que desplegando la boca se pone a oírle con todo el cuerpo y con el alma entera.

«Pero ¿qué tendré hoy –se dice el futuro padre del genio–; qué me pasará que no acierto a ligar dos ideas? ¿Se me rebelará la bestia?» Marina, en tanto, parece esperar lo de la savia de los vegetales; vésele el ritmo del pecho, y en sus cabellos de azabache se tiende a descansar la luz cernida por los visillos.

-La savia de los vegetales –prosigue Carrascal– hace tiempo que ha dado botones de flores...

-¿Le gustan a usted las flores? –le pregunta Leoncia.

-¿Cómo estudiar botánica sin ellas?

Marina, apartando sus ojos de Avito, los vuelve sonrientes a Leoncia y al hombre luego, como quien dice: ¡Tiene gracia! Y al observarlo Carrascal oye una voz que en su interior le dice: «¡Alma primitiva, protoplasmática, virginal! ¡Corazón inconsciente!», a la vez que su corazón, consciente y todo, empieza a acelerar su martilleo.

-Usted debe de saber muchas cosas, señor Carrascal.

-¿Por qué, mi señora doña Marina?

-Porque mi hermano, cuando hay algo así, muy enrevesado, dice: ¡A Carrascal con eso!

-¿Su hermano?

-Sí, Fructuoso del Valle.

«¡Pobre muchacha! –piensa Avito–, tan hermosa y en poder aún de ese...», y dice:

-Oh, no, es favor que don Fructuoso quiere hacerme y que tal vez me hace, porque eso de saber muchas cosas... –y se atasca.

«¿Qué cosas sabes tú, Avito Carrascal, qué cosas sabes frente a esos tersos ojazos cándidos que empiezan a decirte lo que no se sabe ni se sabrá jamás?»

Leoncia barrunta algo y hasta adivina qué. No es este Avito el Avito de otras veces, dueño siempre de sí y de su palabra, en el decir afluente y preciso, firme y exacto en el pensar. Tiene en la punta de la lengua esta pregunta: «Pero ¿qué le pasa a usted hoy, Avito?»; mas coligiendo que no de paso, sino de queda, es lo que Avito siente, tira a abreviar la visita.

«Y ¿qué me hago de la exposición matrimoniesca? –piensa Avito–. A preparar su recepción vine... ¡Habrá que pensarlo más despacio...!»

Se levanta para retirarse, y las dos mujeres se levantan también. Y como si una planta frondosa y aromática se desplegase de pronto, siente Avito en el ámbito del alma perfumada frescura. Le da la mano... Y esto ¿qué es?, ¿cómo se llama? ¡Sí! ¿Cómo se llama?

«¿Es que me he vuelto tonto? –dícese Avito ya en la calle–. ¡Buena manera de preparar a la futura madre del genio! ¿Qué pensará de mí?» Y llegado a casa: «¿Qué es lo que me ha pasado?, ¿cómo se llama? Sí. ¿Cómo se llama? Porque aquí está el nudo de la cuestión, en cómo se llame. Durmamos; durmiendo es como se digieren estas impresiones... ¡Tengo para mí que ha entrado en juego el Inconciente...! Démosle su parte... ¡A dormir!» Mete el amoroso informe bajo la almohada y se acuesta. Al despertar sabe ya de cierto que está enamorado de Marina; háselo dicho el sueño. Desde las excelsas cimas de la deducción se ha despeñado a los profundos abismos inductivos.

Y se abre la única batalla que hasta hoy ha empeñado Avito en su conciencia. Es en ésta un terremoto; agítansele ondulantes las oscuras entrañas espirituales; el elemento plutoniano del alma amenaza destruir la secular labor de la neptuniana ciencia, tal como así lo concibe, en geológica metáfora, el mismo Carrascal, escenario trágico del combate. «Ha entrado en juego el Inconciente», se dice a cada paso.

Leoncia, la deductiva, la dólico-rubia de sano color, anchas caderas, turgente y levantado pecho, mirar tranquilo y buen apetito, de una parte, de la parte de encima, en las aguas de la ciencia envuelta, y de otra parte, Marina, la inductiva, por misteriosa ley de contraste braquimorena, sueño hecho carne, con algo de viviente arbusto en su encarnadura, y de arbusto revestido de fragantes flores, surgiendo esplendorosa de entre los fuegos del instinto, cual retama en un volcán.

Al poco, agua y fuego vuelven, como de costumbre, a soldar un pacto; redúcese parte de aquélla a nube, apágase parte de éste. Empiezan a chalanear ciencia e instinto ahora que

Avito ha vuelto a ver, como por acaso, a Marina y ha vuelto a departir con ella. El amoroso instinto de Carrascal se dispone a obedecer a la ciencia del teorizante; mas es indicándole antes en silencio, al oído y a oscuras, lo que ha de mandarle.

«El genio, ¿no es tan hijo de la naturaleza como del arte? –se dice Avito–; ¿no es la naturaleza hecha arte, lo que equivale a decir que es el arte hecho naturaleza?; ¿no es el feliz consorcio de la reflexión con el instinto, instinto reflexivo a la par que reflexión instintiva? Démosle, pues –así piensa esto, en primera persona del plural del presente de subjuntivo, o de imperativo si se quiere–, démosle su parte de naturaleza, de instinto, de inconciencia; no hay forma sin materia. El arte, la reflexión, la conciencia, la forma lo seré yo, y ella, Marina, será la naturaleza, el instinto, la inconciencia, la materia. ¡Y qué naturaleza, qué instinto!, ¡qué materia!..., ¡qué materia sobre todo...! –le dicen las corrientes plutonianas con su lenguaje de sacudidas del corazón–. ¡Qué materia! Yo la trabajaré, como las aguas a la tierra, la surcaré, le daré forma, seré su artífice. ¡Cállate!, ¡cállate! –le dice a una voz de su interior que le murmura: "Mira, Avito, que caes..., que caes, Avito..., que caes... Eso es el señuelo... Así no se llega al genio... Que caes...". ¡Cállate!–. Y termina en esta conclusión: ¡Marina es materia prima de genio, forma de él yo! ¿Pues qué?, ¿la belleza física nada quiere decir? Los verdaderos genios, los de verdad, han debido de ser hijos de mujeres guapas, y si la historia lo negase, o es que el supuesto genio no es tal o es que no se fijaron bien en su madre.»

¿Y el informe amoroso? ¿Lo entenderá acaso la braquimorena plutoniana? ¡Oh, el instinto adivina lo que no entiende! Y recuerda Avito haber contemplado con qué atención observaba una vez una gata a un conejillo de Indias inoculado de tifoidea, y la apacible familiaridad con que las aves del cielo se posan en los hilos del telégrafo, lejos de los lirios del campo.

Cosa decidida, pues; el documento redactado para Leoncia irá, tal como lo está, a Marina.

Al acabar Marina de leerlo, y mientras le danza el corazón, se dice, sin querer, con su hermano: «¡A Carrascal con esto!». Y luego: «¡Qué Carrascal éste, Dios mío, qué Carrascal! ¡Acordarse de mí!». Va en seguida, sin quererlo también, a mirarse al espejo, en el que se encuentra con sus propios ojos, que le dicen lo que no se sabe ni se sabrá jamás. «¡Oh, qué Carrascal! Sí; está a la altura de su reputación, no hay duda. Y no es feo, no, no es feo, pero yo... Y tiene unas ideas... ¡Qué idea, qué idea ésta de pretenderme, y de pretenderme así...!»

Y ahora, cual avecilla del cielo posada en los alambres telegráficos, lejos de los lirios del campo, se dice: «¿Ineludibles necesidades orgánicas... –súbesele el rubor a las mejillas–, genio de la especie..., ley de Malthus..., matriarcado..., matriarcado?... ¡Matriarcado!..., tendencia social a la monogamia..., matrimonio y patrimonio..., genio del porvenir..., pedagogía sociológica... ¿Y cómo le digo que no? ¿Con qué cara le digo que no, yo, pobre de mí, Marina del Valle, a todo un don Avito Carrascal? Alguno había de ser, éste u otro..., pero don Avito..., ¡don Avito Carrascal! ¿Cómo le digo que no? ¿Cómo se hace eso? Si viviera mi madre para aconsejarme... ¡Pero Fructuoso, nada más que Fructuoso!». Al recordar a su hermano, una ráfaga de aire frío le vuelve a la realidad, porque Fructuoso del Valle, tratante en grano y presidente del comité lopecista, es un saco del más barato sentido común.

Al recibir Carrascal carta de Marina, en que acepta ésta las relaciones que aquél le ha propuesto, se dice: «¡La ha copiado de algún manual!», y se satisface. ¿No es el copiar lo propio del instinto, de la naturaleza, de la materia? La carta dirá lo que quiera, ¿pero los ojos...? ¡Oh, los ojos! Éstos sí que al copiarlo todo no copian nada; son absolutamente originales, con clásica originalidad, que de plagios se mantiene.

Procúranse una entrevista en que Avito se propone estar masculino, dominador, cual cumple a la ciencia, y domeñar a la materia al punto.

—Me hace usted mucho honor, don Avito...

—¿Usted? ¿Don? ¡Háblame de tú, Marina!

—Como no tengo costumbre...

—Las costumbres se hacen; el hábito empieza por la adaptación; un fenómeno repetido...

—¡Ay, por Dios!

—¿Qué te pasa?

—¡Lo del fenómeno!

—¿Pero qué?

—No hable de fenómenos, que tuve un hermanito fenómeno y parece que estoy viendo aquellos ojos que querían salírsele y aquella cabeza, ¡qué cabeza, Dios mío! No hable de fenómenos...

—¡Oh, la ignorancia, lo que es la ignorancia! Fenómeno es...

—No, no. Nada de fenómenos..., y menos repetidos...

—¡Pero qué ojos, Marina, qué ojos! —y en su interior añade: «¡Cállate!» a la voz que le murmura: «Que caes, Avito, que caes... Que la ciencia marra...».

—Pero no se ría si digo algo...

—Yo no me río cuando se trata de algo serio, y nosotros, Marina, tratamos ahora de lo más serio que hay en el mundo.

—Es verdad —agrega Marina con profunda convicción y maquinalmente, con la convicción de una máquina.

—Y tan verdad como es. Se trata, Marina, no ya de decidir de nuestra suerte, sino de la suerte de las futuras generaciones acaso...

Se pone la Materia tan grave, que al abrir los ojos hace vacilar a la Forma.

—La suerte de las futuras generaciones, digo... ¿Sabes tú, Marina, cómo hacen las abejas su reina? —y se le acerca.

—No entiendo de esas cosas... Si no me lo dice...

—Háblame de tú, Marina, te lo repito; háblame de tú. Deja ese impersonal, porque aquí es todo personal, personalísimo.

–Pues..., pues... no sé... –pónese como la grana–, si no me lo dices...

–Pero no, ¿qué te importa lo que hagan las abejas, amor mío? –y luego, a la voz interior: «¡Cállate!», y se detiene.

«¿Amor mío?» ¡Quién ha dicho eso? ¿Qué es eso de «amor mío»? El genio de la especie, ¡oh!, el Inconciente.

–El genio de la especie –continúa Avito.

–¡Qué ideas, Carrascal, qué ideas!

–¿Carrascal? No me gustan las mujeres que llaman a sus maridos por el apellido.

Al oír lo de marido y mujer se le encienden las mejillas a Marina, y encendido Avito por ello se le acerca más y le pone una mano sobre la cadera, de modo que la Materia quema y la Forma arde.

–¿Ideas? ¡Mi idea eres tú, Marina!

–¡Oh, por Dios, Avito, por Dios! –y le esquiva.

–¿Por Dios? ¿Dios?... Bueno..., sí..., todo es cuestión de entenderlo... Acabarás por hacerme creer en él. –Y lanzando un «¡Cállate!» a la voz interior que le dice: «Que marra la ciencia..., que caes, Avito...», coge a la Materia en brazos y la aprieta contra el pecho.

–Déjeme, por Dios, déjeme..., déjame... Mi hermano...

–¿Quién? ¿Fructuoso?

–Lo mejor será acabar pronto, Avito.

–Querrás decir empezar pronto, Marina.

–Como quieras.

–Sí, empezar pronto, como quiera. Y ahora ven, sellemos el pacto.

–¿Qué es eso?

–Ven, ven y lo verás.

La coge ahora de nuevo, la aprieta en los brazos y le pega en la boca un beso, de los que quedan. Y así, sujeta, sofocada la pobre, con el corazón alborotado, dícele él:

–Tú..., tú..., Marina..., tú...

–¡Ay, por Dios, Avito, ay..., por Dios! –y cierra los ojos.

También Avito los cierra un momento, y sólo se oye el latir de los corazones. Y la voz interior le dice a Carrascal: «El corazón humano, esta bomba impelente y absorbente, batiendo normalmente, suministra en un día un trabajo de cerca de 20.000 kilográmetros, capaz de elevar 20.000 kilos a un metro...». Y en voz alta, como enajenado:

—Bomba impelente.

—¡Ay, por Dios, Avito!... ¡No..., no!...

—Tú..., tú...; vamos, tú... Mira que hasta tanto no te suelto...

Los labios de la pobre Marina rozan la nariz de la Forma, y ahora ésta, ansiosa de su complemento, busca con su formal boca la boca material, y ambas bocas se mezclan. Y al punto se alzan la Ciencia y la Conciencia, adustas y severas, y se separan avergonzados los futuros padres del genio, mientras sonríe la Pedagogía sociológica desde la región de las ideas puras.

Al saberlo Fructuoso se queda un rato mirando a su hermana, sonríe y da unas vueltas por la estancia.

—¡Pero, mujer, con don Avito Carrascal!...

—Con alguno había de ser...

—¡Claro! ¡Pero... con Carrascal!

—¿Tienes algo que oponer?

—¿Oponer? Yo no.

«¡Con Carrascal! –piensa–, ¡cuñado de don Avito! ¡Psé! Como marido, tal vez lo haga bien... Fortuna... tiene..., gastador no es... lo demás la familia lo trae consigo... Y después de todo, para lo que ella vale...» Todo esto pasa por la mente de Fructuoso, que, como saco de sentido común, es profundamente egoísta, por ser el egoísmo el sentido común moral.

—¿Oponerme? ¡Dios me libre! ¡Cásate con quien quieras, siempre que sea persona honrada y que pueda mantenerte sin necesitar de tu dote, aunque sea con don Avito!

«¡Qué bruto!», se dice en su corazón Marina, que, aun sin saberlo, ve en el matrimonio una manera de libertarse del tratante en granos.

Para Carrascal llega la segunda batalla, la de si habrá de casarse por lo religioso, transigiendo con el mundo. Acude a la sociología, y ésta le convence a transigir.

Y he aquí cómo se unen la Materia y la Forma en indisoluble lazo.

Dos

«¡Has caído, Avito, has caído –le dice la voz interior–, ¡has caído! Has convertido a la ciencia en alcahueta... ¡has caído!» Y mientras echa de menos a su fiel Sinforiano no le sirve repetir: «¡Cállate!, ¡cállate!, ¡cállate!». Pasada la embriaguez de los primeros días, disipada la nube que de las aguas de la ciencia levantaran los fuegos del instinto empieza a vislumbrar la verdad. Ha sido una caída, una tremenda caída a la inducción, mas es preciso aceptarla y aprovecharla en beneficio del futuro genio. Ahora que posee a Marina se acuerda más de Leoncia; oliendo la cabellera de la braqui-morena sueña en la de la dólico-rubia. ¡Si supiera fundirlas en una! ¿Por qué el goce de lo poseído ha de encendernos el apetito de lo que no poseemos?

«La Materia es inerte, estúpida; tal vez no es la belleza femenina más que el esplendor de la estupidez humana, de esa estupidez que representa la perfecta salud, el equilibrio estable. Marina no me entiende; no hay un campo común en que podamos entendernos; ni ella puede nadar en el aire ni yo volar en el agua. ¿Educarla? ¡Imposible! Toda mujer es ineducable; la propia más que la ajena.» Así piensa Avito.

¿Y Marina? A los pocos días de trasladada del poder de su hermano al del marido se encuentra en regiones vagarosas y fantásticas, se duerme y en sueños continúa viviendo, en sueños incoherentes, bajo el dominio de la figura marital que anda, come, bebe, y pronuncia extrañas palabras.

–¿Y tu marido? –le pregunta Leoncia un día.

–¿Mi marido? ¡Ah, sí! ¿Avito? ¡Bien!

–¡Qué casa, Dios mío, qué casa! Hay que dejar abierta de noche la ventana del cuarto, por donde entran las tinieblas exteriores y el aire fresco, no hay que espumar el puchero, hay que sumergir a cada paso los cubiertos en esa cubeta con solución de sublimado corrosivo que está sobre la mesa, y esos extraños vasos, graduados, y con sus rótulos H_2O, y el salero con su ClNa, y ese retrete de báscula, y... ¡qué mundo, Dios mío, qué mundo!

Una noche, sacudiendo por el momento el sueño crónico y antes de entregarse al otro, susurra Marina unas palabras al oído de Avito, la abraza éste sin poder contenerse, y no duerme en toda la noche. Ya está en función el pedagogo.

–¡Vamos, Marina, un poco más de alubias!...

–¡Pero si no me apetecen!...

–No importa, no importa... Ahora tienes que comer más con la reflexión que con el instinto, más con la cabeza que con la boca... Vamos, un poco más de alubias, alimento fosforado..., fósforo, fósforo, mucho fósforo es lo que necesita...

–Mira que luego no voy a poder con la chuleta...

–¿La chuleta? ¡No importa! ¿Carne? No; la carne aviva los instintos atávicos de barbarie... ¡Fósforo!, ¡fósforo!

Y Marina se esfuerza por hartarse de alubias.

–Y luego acabaré de leerte la biografía de Newton... ¡Qué gran hombre!, ¿no te parece? ¿No te parece que era un gran hombre Newton?

–Sí.

–Piensa bien qué gran hombre era... Si saliese nuestro hijo un Newton...–y agrega para sí–: «Me parece que estoy sugestivo... así, así...».

–¿Y si sale hija? –dice ella por decir algo, a lo que se pone muy serio Avito, que no quiere contar con la genia.

–Esta tarde iremos al museo, a que veas las obras maestras y te empapes en ellas; allí te explicaré el papel social, digo sociológico, del arte.

–Pero si...

–¿Que no lo entiendes? No importa, no importa nada..., no trato de instruirte, sino de sugestionarte... La sugestión es un fenómeno...

–¡Por Dios, Avito, por Dios! Fenómeno no..., no..., no...

–Tienes razón, ¡torpe de mí!, tienes razón..., esa ignorancia... A la noche iremos a la Ópera, a que te armonices...

–¡Pero si acaba tan tarde... si no tengo ganas!...

–Hay que hacerlas. Mira que ya no te perteneces, Marina, que ya no nos pertenecemos.

La mujer se deja hacer; come alubias a todo pasto, escucha biografías de grandes hombres según don Avito, mira cuadros, oye música...

–Mejor quisiera que me leyeses en el *Año cristiano* la vida del santo de hoy... –se atreve a suplicar un día desde su sueño.

Avito la mira, diciéndose: «¡Oh, el atavismo!», y arranca en una disertación contra los santos todos del *Año cristiano*, hombres antisociales, y mejor aún que antisociales, antisociológicos. Y al observar la expresión de su mujer, se dice: «¡Hasta las entrañas mismas! ¡Esto hará su efecto!».

Marina se siente mal, y Avito se alarma por ello. Ocúrresele si podrá ser un parto prematuro y, sorprendido de su imprevisión en este aspecto, piensa pedir una incubadora Hutinel, por si acaso. Y hasta le halagaría, allá, por muy dentro, que fuera tal cosa, pues podría así comprobar en su hijo las maravillas de la ciencia. Y como la indisposición de su mujer se agrava, tiene que llamar al médico, un médico sociólogo también.

–¿Qué? –pregunta Avito ansioso, después del reconocimiento médico, pensando en la incubadora.

–No es más que una indigestión..., una fuerte indigestión... ¿Que ha comido usted, señora?

–¡Alubias!

–Pero eso...

–Es que me hastían ya, las aborrezco...

–¿Pues por qué las toma?

–Soy, soy yo quien se las hago tomar... Por causa del fósforo...

–¡Ah! –y poniéndole una mano sobre el hombro, le dice el médico–: No indigeste de fósforo al genio, amigo Carrascal, que no basta fósforo en el cerebro para que éste dé luz; no basta, pues acaso lo tenemos todos de sobra.

–¿Entonces?

–¡Es menester además..., raspa!

–¡Piedra, yesca y eslabón!, que cantábamos los niños.

–¡Exacto!

–Ya que no quieres ir a la Ópera –dice un día Avito a su mujer–, he ideado lo que la sustituya...

Hace traer un aristón, coloca en él el disco de una melodiosa sonata y, puesta la mano en el manubrio, dice:

–Quiero que oigas música. Además, las vibraciones rítmicas palpitarán en el aire y esas vibraciones habrán de transmitirse en torno... Allá donde lleguen, todo se acordará rítmicamente en cuanto sea posible, y no cabe duda, las tiernas células del embrión habrán así de hacerse más armónicas... Ven, acércate, siéntate ahí...

–Pero...

–¡Pero ahora escucha!

Empieza a darle al manubrio. La pobre Materia, soñolienta, mira con sus tersos ojazos cándidos a la figura dominante

de su sueño; despiértale la sonata las dormidas ternuras maternales, y empieza a inundarle el corazón maternal piedad,
piedad jugosa hacia el padre del futuro genio.

–Ven, acércate, que te lleguen al regazo las rítmicas ondu-
laciones; que envuelvan al tierno embrión...

Siente la pobre Marina que le hinchen las aguas profundas
del espíritu, amargas linfas, que le ahogan el corazón de madre, que los objetos todos, la cómoda, las sillas, la consola, el
espejo, el espejo sobre todo, la mesa, todos se ríen de ella; có-
rrele la sangre al rostro, a reírse también viendo aquello, y
avergonzada al sentir el rubor, empiezan a rezumar sus ojos
silenciosas lágrimas y las lágrimas le acongojan.

–¡Oh! Veo que te afecta demasiado, y tampoco eso..., tampoco eso... No le quiero sentimental. Un sentimental no puede ser buen sociólogo. Y ahora, puesto que hace tan buen día,
a pasear un rato, a tomar luz..., ¡luz!, ¡luz!, ¡mucha luz!

Y ya de paso, dice:

–La educación empieza en la gestación... ¿qué digo?, en la
concepción misma..., antes, mucho antes, venimos educán-
donos *ab initio,* desde lo homogéneo primitivo.

Ella calla y él prosigue:

–Y tú, Marina, eres muy homogénea.

Adivina un insulto. ¿Insulto? ¿Pero es que esta figura insul-
ta? ¿Qué quiere decir todo esto? ¿Hay algo que quiera decir
algo?

Avito piensa: «Debería leerle algo de embriología, que sea
consciente de lo que hace... ¡pero no!, que sea inconsciente,
así saldrá mejor... Sin embargo...». Y al siguiente día le enseña
una preparación embriológica en el período correspondiente. Y ella, emergiendo del sueño crónico, exclama:

–¡Quita, quita, por Dios, quita, quita eso!...

–¡Ah, si pariésemos los hombres!... –suspira Avito, callán-
dose lo de: «lo haríamos más científica y concientemente».

–Es que si parieseis los hombres no seríais hombres, sino
mujeres...

Al oír lo cual piensa Avito con regocijo: «Genio, genio, ¡de seguro genio!», y luego, en vez de «¡Cállate!», dícele a su voz interior: «¿Lo ves?».

Han corrido días. La pobre Materia siente que el Espíritu, su espíritu, un dulce espíritu material, va empapándola y como esponjándola, pero no ya en aguas de amargura, sino en el más dulce rocío que de esa amargura al evaporarse queda. Cántale la Humanidad eterna en las eternas entrañas del alma. A solas se toca los pechos, que empiezan a henchírsele; va a brotar del sueño la vida, la vida del sueño. ¡Pobre Avito! ¿Despertará ahora? ¿Se adormirá ahora?

Ha llegado el día; lo tiene ya de antemano dispuesto todo Carrascal, y aquí él, tranquilo, abroquelado en ciencia, al encuentro del Destino. Laméntase la Materia de cuando en cuando, levantándose, paseándose un momento, volviéndose a sentar.

—No puedo, no puedo, don Antonio, no puedo más... yo me muero, ¡ay!, me muero... no puedo más...

—Eso no es nada, Marina, un dolorcillo sin importancia; ayúdelo, ayúdelo... venga un dolor decente, un dolor como es debido y se acabó todo...

—Yo tengo más, don Antonio, yo tengo más... esto es otra cosa... esto es muy grave... yo me muero... ¡Ay, adiós, Avito!... yo me muero... me muero...

—Lo de todas, doña Marina, lo de todas... eso no es nada...

—¿Que no es nada?... ¡Ay!, me muero..., me muero..., quiero morirme..., ¡adiós!

—¡Vaya, vaya! Descanse un rato...

—Fruto de la civilización estos dolores –interviene don Avito–, la civilización habrá de suprimirlos. Bien te dije que el cloroformo...

—Cállate..., no..., no..., cloroformo no..., ¡ay!, que me muero... ¡Ay!... Yo quiero morirme... Don Antonio..., el cloroformo es cosa de judíos... ¡Ay, que me muero!...

–O bien se anticipará científicamente este acto, y luego la incubadora...

–¡Calla, calla, calla!...

Trágase a hurtadillas una cintita de papel, hecha rollo, cintita en que está impresa una jaculatoria en dístico latino, y luego otro papelillo en que hay una imagen de Nuestra Señora del Perpetuo Socorro. Son su cloroformo.

Llega el momento, asoma el futuro genio la cabeza para mirar al mundo, entra en el escenario y se pone a berrear. Es lo único que se le ocurre hacer, ya que ha de hacer algo al pisar las tablas. Juega con el aire; toca un chillido en el albogue de su gaznate. Avito mira al reloj: las 18 horas y 58 minutos.

–Esa cabeza... –dice con desfallecimiento la madre.

–Ella se le arreglará sola –contesta el médico.

–Pero qué fea la tiene, ¡pobrecito! –y sonríe.

–¡Bah! –dice Avito–, ha sido el trabajo de nacer. ¿O crees que tú lo has hecho todo y él nada?

–Yo le he dado a luz, ¡hombre!

–Y ahora, ¿quiere usted morirse? –le pregunta el médico.

–¡Pobrecito! –contesta ella.

El padre le coge y le lleva a la balanza, a pesarle; luego, a una bañera especial que a prevención tiene, y ¡adentro del todo!, que le cubra por completo el agua, para ver en el tubo registrador el número de litros que ha subido, el volumen. Con peso y volumen deducirá luego su densidad, la densidad genial nativa. Y lo talla, y le toma el ángulo facial, y el cefálico, y todos los demás ángulos, triángulos y círculos imaginables. Con ello abrirá el cuadernillo.

La casa está dignamente provista para recibirlo; techos altos, como ahora se lleva, iluminación, aereación, antisepsia. Por todas partes barómetros, termómetros, pluviómetro, aerómetro, dinamómetro, mapas, diagramas, telescopio, microscopio, espectroscopio, que a donde quiera que vuelva los ojos se empape en ciencia; la casa es un microcosmo racional.

Y hay en ella su altar, su rastro de culto, hay un ladrillo en que está grabada la palabra *ciencia*, y sobre él una ruedecita montada sobre su eje[1], toda la parte que a lo simbólico, es decir, a lo religioso, como él dice, concede don Avito.

1. El ladrillo y la rueda son la representación de las más grandes invenciones de la Humanidad primitiva.

Tres

Y a tenemos al niño, al sujeto, y ahora surge el primer problema, el del nombre[1]. El nombre que a uno le pongan y que tenga que llevar puede hacer su felicidad o su desgracia; es una perpetua sugestión. ¿No se oye decir a muchos: «Me debo a mi nombre»? ¡Cosa ardua el cómo me llamen y cómo me llame a mí mismo!

El nombre tiene que ser griego, por ser la lengua griega la de la ciencia; sonoro y significativo además. Relee Carrascal la carta en que el singular filósofo don Fulgencio ha contestado a su pregunta, y que dice así:

«Hay quien lleva como un castigo su nombre, como joroba que al nacer le impusieron. En rigor, debía aguardarse a que el hombre diese sus frutos para ponerle nombre a ellos ajustado; mientras no ostente carácter propio no debía tener más que nombre provisional o interino, ya que no fuese anónimo. Los pseudónimos y los motes son más verdaderos que los

1. Unamuno tenía la costumbre de ordenar en un cuadernillo, que denominó *Onomástica,* una larga lista de nombres propios de persona, que acompañaba de numerosas anotaciones. Este cuadernillo fue el que utilizó cuando tuvo que elegir el nombre de todos sus hijos.

nombres legales, ya que apenas hay cosa legal que sea verdadera, y la que verdadera resulte será a pesar de su legalidad,
jamás merced a ella.» Y luego propone don Fulgencio varios
nombres, entre los cuales *Fisidoro,* don de la Naturaleza; *Nicé-
foro,* vencedor; *Filaletes,* amante de la verdad; *Aniceto,* inven-
cible; *Aletóforo,* portador de la verdad; *Teodoro,* don de Dios,
y *Teoforo,* portador de Dios, entendiendo por Dios lo que por
él entiende el singular filósofo; *Apolodoro,* don de Apolo, de la
luz del Sol, padre de la verdad y de la vida... Avito vacila; in-
clínase a *Apolodoro* por lo simbólico y, sobre todo, por empezar, como Avito, por A, lo que ha de permitir que se sirvan padre e hijo de un mismo baúl y que no haya que cambiar las
iniciales de los cubiertos: A. C. Sólo tiene el inconveniente de
eso de Apolo, una deidad pagana, una forma de superstición,
dígase lo que se quiera. Aunque, por otra parte, lo de Apolo
no puede entenderse ya más que como un símbolo, un símbolo del Sol, de la luz, del generador de la vida. Va a decidirse por Apolodoro, y la voz interior: «Caíste ya y vuelves
a caer, y caerás cien veces y estarás cayendo de continuo;
transigiste con el amor, con el instinto, con lo carnal; tran-
sigirás con la superstición pagana y tu hijo llevará siempre
como un estigma ese nombre, y le llamarán, abreviándose-
lo, Apolo; mejor es que le llames Teodoro, que al cabo es
nombre más corriente y llano y equivale a lo mismo, pues
¿qué va de Apolo a Dios?» Y Avito contesta a ese importuno
demonio que al enamorarse le entró, diciéndole: «No, no es
lo mismo Apolo que Dios, no equivale Teodoro a Apolodoro, porque en Apolo no cree ya nadie y no pasa de ser una
mera ficción poética, un puro símbolo, mientras aún quedan quienes creen en Dios, y así, si le llamo Apolodoro, nadie supondrá que pueda yo creer en la existencia real y afec-
tiva de Apolo, mientras que si le bautizo, digo, no, si le de-
nomino Teodoro podrá creerse que creo en Dios. De Dios
se podrá hablar, podremos hablar los hombres de razón,
cuando nadie crea en él, cuando sea un puro símbolo... ¡En-

tonces sí que nos sera útil!» Y la voz: «Has caído, has caído y volverás a caer cien veces, y estarás cayendo sin cesar... ¿Si pudieras llamarle A, B, C, o X, como por álgebra? Tan derogación es llamarle Apolodoro como Teodoro; ponle un nombre sin sentido, algébrico, llámale Acapo, o Bebito, o Futoque, una cosa que nada signifique y a la que dé significado él; mete en un sombrero sílabas, saca tres y dale así nombre». Y Avito replica: «¡Cállate!, ¡cállate!, ¡cállate!», y se queda con Apolodoro, salvo confirmárselo o rectificárselo según los frutos que dé.

El sueño de Marina se hace más profundo, baja a las realidades eternas. Siéntese fuente de vida cuando da el pecho al hijo. Desprende el mamoncillo la cabeza y quédase mirándola, juega con el pezón luego. Y cuando en sueños sonríe se dice la madre: «Es que se sueña con los ángeles». Con su ángel se sueña ella, apretándoselo contra el seno, como queriendo volverlo a él, a que duerma allí, lejos del mundo.

Avito no hace sino preguntarle: «¿Qué tal?, ¿tienes leche suficiente?, ¿te sientes débil?» Y no satisfecho con las seguridades que su mujer le da, envía a que se analice la leche, que se analice escrupulosamente, a microscopio y a química.

–Porque mira, si el criar te perjudica o perjudicara al niño, tenemos el biberón, el biberón perfeccionado...

–¿Biberón?

–Sí, biberón, pero biberón moderno y con leche esterilizada, lactancia artificial, el gran sistema, mejor que la lactancia natural, créemelo...

–¿Mejor? Pero si lo natural...

–Déjate de lo natural. La naturaleza es una chapucería, una perfecta chapucería, como dice don Fulgencio.

–Pues yo creo que en esto lo más natural...

–¿Y que has de creer tú?, ¿qué has de creer tú, que al fin y al cabo eres naturaleza? Te digo que no hay como el biberón...

–Pues mientras yo tenga leche...

–Si no me opongo, pero... mira, la pedagogía misma ¿que es sino biberón psíquico, lactancia artificial de eso que llaman espíritu por llamarlo de algún modo?

«Has caído, sigues cayendo –le dice la voz interior–, le dejas criar; así le transmitirá más de su sangre; el pecado del amor da sus frutos.»

–Y esas mantillas, esas mantillas... ya te he dicho que no le envuelvas así; las mujeres sois las sacerdotisas de la rutina.

–¿Pues qué he de hacer?

–Mira este dibujo, vístele por él.

–Yo no sé hacerlo, hazlo tú.

–Hazlo tú..., hazlo tú... Estos primeros cuidados los confía la pedagogía a la madre...

–¿Y el de darle de mamar no?

–¡Lógica femenina! El darle de mamar, no; el biberón mismo es cuidado de la madre.

–Pues mira, como yo no sé hacerlo de otro modo...

–Bueno, mujer, bueno... sigue.

Hoy ha averiguado Avito que a escondidas de él, en connivencia la madre con Leoncia, se han llevado al niño para que lo bauticen. Su principio de autoridad, base y fundamento de toda sana pedagogía, ha sido conculcado; y ¿cómo?, ¡por consejo de la deductiva! No se puede dejar pasar esto así, sin protesta.

–¿No te tengo dicho, Marina, que no quiero que le metas esas cosas al niño?

–Así se ha hecho siempre –contesta la mujer con un resto de independencia que le brota de las entrañas–. Tú no quieres más que poner leyes nuevas...

–¿Quién te ha dicho eso? –y como Marina calla, prosigue elevando la voz–: ¿Quién te lo ha dicho?, repito; ¿quién es el majadero o la majadera que te lo ha dicho? Vamos, contesta. ¿No sabes que soy tu marido?

La pobre Materia, oprimiendo al genio contra su seno, siente que una bola cuajada de angustia le levanta primero por dentro los henchidos pechos, que le tupe la garganta después, y empieza a ver a su marido a través del amargo humor que le purifica los ojos lavándoselos.

–Tienes la desgracia de haber nacido imbécil y no estás en edad...

Óyese apenas, como quejumbre de animal herido, estas palabras escapadas de entre dientes:

–Eres un bruto.

–¿Un bruto?, ¿un bruto yo? –la coge del brazo y la sacude–; ¿un bruto? Si no fuese por...

Y ella, rompiendo a llorar ya:

–¡Virgen Santísima...!

–¡Calla, no blasfemes!

Apolodoro mira fijamente a su madre. Y el padre, paseándose, se dice: «He estado torpe, poco razonable, poco científico; se me ha vuelto a rebelar el animal, este animal al que tenía dominado y así que me enamoré despertó; esta infeliz no tiene culpa... ¿Le ha bautizado?, ¿y qué? ¡Cosas de mujeres! Que se diviertan en algo las pobres». Y volviéndose a Marina, con su voz más dulce:

–Vamos, Marina, he estado fuerte, lo reconozco, pero... –y se le acerca ofreciéndole la boca, a la vez que la voz interior le murmura: «Caíste, vuelves a caer y caerás cien veces más».

Déjase besar Marina, apretando contra el seno al niño, y recae en el sueño de su vida.

–Sí, he estado fuerte, pero..., pero es menester cumplir mi voluntad... ¿Y bautizarle?, ¿para qué?, ¿para limpiarle del pecado original? ¿Pero tú crees que esta inocente criatura ha pecado?

Y la voz del demonio familiar: «Sí, no ha pecado, pero trae pecado original; el de haber nacido de amor, de enlace de instinto, de matrimonio inductivo; amor y pedagogía son incompatibles; el biberón exige complemento...».

–No le beses, no le beses así, Marina, no le beses; esos contactos son semillero de microbios.

Y la voz. «¿Por qué la besabas tú a ella? Te ha contagiado, te ha contagiado con sus microbios, con los microbios de su personalidad, porque cada uno de nosotros tiene su microbio, su microbio especial y específico, el *bacillus individuationis,* como le llama don Fulgencio, y te ha contagiado... ¡Caíste, caíste y volverás a caer!»

Esto fue ayer, y hoy encuentra Marina a su marido pinchando al niño con una aguja, e irrumpiendo del sueño su corazón de madre, exclama:

–Pero ¿estás loco, Avito?, ¿qué haces?

Y el padre sonríe, vuelve a pincharle y contesta:

–Tú no entiendes...

–Pero, Avito... –añade con mansedumbre.

–¡Es que estudio los actos reflejos!

–¡Qué mundo éste, Virgen Santísima! –y recae en el sueño.

Y aún le queda por ver esto otro, y es que haciendo que Apolodorín se coja con ambas manos del palo de la escoba, le levanta su padre así en alto. La madre tiende los brazos ahogando un grito y el padre, con enigmática sonrisa, dice:

–Esta fuerza de presión, propiamente simiana, la perderá luego. Nuestro tatarabuelo, el antropopiteco, y nuestro primo segundo, el chimpancé...

–¡Qué mundo éste, Virgen Santísima! –y adéntrase aún más en el sueño.

Otras veces es ponerle una vela ante los ojos y observar si la sigue con ellos, o hacer ruido para llamarle la atención. Y en éstas y las otras he aquí que al arrimar el niño su manecita a la lumbre de la vela se quema y rompe a llorar y tiene su madre que acallarle dándole el pecho. Y mientras la madre le tapa la boca con la teta para que no pueda llorar, Avito:

–Déjale que llore; es su primera lección, la más honda. No la olvidará nunca, aunque la olvide –y como la madre parece no fijarse en el profundo concepto, prosigue el padre–: así aprenderá que el dedo es suyo, porque ese llanto quería decir: *mi* dedo, ¡ay!, *mi* dedo. Y del *mi* al *yo* no hay más que un paso, un solo paso hay del posesivo al personal, paso que por el dolor se cumple. Y el yo, el concepto del *yo*...

Al ver con qué ojazos desorientados le mira Marina, se calla Avito, envainándose el yo.

Carrascal vigila la evolución del pequeño salvaje, meditando en el paralelismo entre la evolución del individuo y la de su especie, o como decimos, entre la ontogenia y la filogenia. «Su madre le hará fetichista –se dice–. ¡No importa! Como la especie, tiene el individuo que pasar por el fetichismo; yo me encargaré de él. Ahora, mientras siga siendo un invertebrado psíquico, un alma sin vértebras ni cerebro, allá con él su madre, pero así que se le señale la conciencia reflexiva, así que entre en los vertebrados, así que se me presente de *amfioxus* psíquico, le tomo de mi cuenta.»

Marina, por su parte, sonambuliza suspirando: «¡Qué mundo éste, Virgen Santísima!», y aduerme al niño cantándole:

> Duerme, duerme, mi niño,
>   duerme en seguida,
> duerme, que con tu madre
>   duerme la vida.
> Duerme, sol de mis ojos,
>   duerme, mi encanto,
> duerme, que si no duermes,
>   yo no te canto.
> Duerme, mi dulce sueño,
>   duerme, tesoro,
> duerme, que tú te duermes
>   y yo te adoro.
> Duerme para que duerma
>   tu pobre madre,
> mira que luego riñe,
>   riñe tu padre.
> Duerme, niño chiquito,
>   que viene el Coco
> a llevarse a los niños
>   que duermen poco...

Y Apolodoro va aprendiendo, bajo la dirección técnica de su padre, el manejo del martillo de su puño, de las palancas de sus brazos, de las tenazas de sus dedos, de los garfios de sus uñas y de las tijeras de los recién brotados dientes. Y por sí solo, ¡cosa singular!, sin dirección alguna, adelantando la cabeza cuando quiere, sí, cuando quiere comer de lo que le presentan y sacudiéndola de un lado a otro para que no se lo encajen en la boca, cuando no lo quiere, no, no quiere comerlo, aprende a decir mudamente *sí* y *no,* las dos únicas expresiones de la voluntad virgen.

Su padre, sin embargo, se dedica un rato todos los días a frotarle bien la cabeza por encima de la oreja izquierda para excitar así la circulación en la parte correspondiente a la tercera circunvolución frontal izquierda, al centro del lenguaje, pues algo de la excitación ha de atravesar el cráneo y ayudar al niño a romper a hablar.

Cuatro

Ahora en que el alma de Apolodoro se acerca, merced a las fricciones superauriculares, al *amfioxus* psíquico, ahora ha venido a habitar en nuestra ciudad el verbo de Carrascal, el insondable filósofo don Fulgencio.

Es don Fulgencio Entrambosmares hombre entrado en años y de ilusiones salido, de mirar vago que parece perderse en lo infinito, a causa de su cortedad de vista sobre todo, de reposado ademán y de palabra que subraya tanto todo, que dicen sus admiradores que habla en bastardilla. Jamás presenta a su mujer por avergonzarse de estar casado y sobre todo de tener que estarlo con mujer. El traje lo lleva de retazos hábilmente cosidos, intercambiables, diciendo: «Esto es un traje orgánico, siempre conserva las coderas y rodilleras, signos de mi personalidad, *mis* coderas, *mis* rodilleras».

Tiene en su despacho, junto a un piano, un esqueleto de hombre con chistera, corbata, frac, sortija en los huesos de los dedos y un paraguas en una mano y sobre él esta inscripción: *Homo insipiens,* y al lado un desnudo esqueleto de gorila con esta otra: *Simia sapiens,* y encima de una y de otra, una tercera inscripción que dice: *Quantum mutatus ab illo!* Y por todas partes, carteles con aforismos de este jaez: «La verdad es un

71

lujo; cuesta cara». «Si no hubiera hombres, habría que inventarlos.» «Pensar la vida es vivir el pensamiento.» «El fin del hombre es la ciencia.»

Son, en efecto, los aforismos uno de sus fuertes, y el *Libro de los aforismos o píldoras de sabiduría* su libro exotérico, el que ha de dar como ilustración al común de los mortales. Porque el otro, su *Ars magna combinatoria,* su gran obra esotérica, que irá escrita en latín o en volapük, la reserva para más felices edades. Trabaja en ella de continuo, más decidido a encerrarla, desconocida, en un hermético cofrecito de iridio o de molibdeno, cuando muera, ordenando que la entierren con él y dejando al Destino que al correr de los siglos aparezca a flor de tierra un día, entre roídos huesos, cuando sea ya el germen humano digno de un tamaño presente.

Porque es lo que se dice a solas: «¿Trabajar yo para este público donde han caído en el vacío mis más profundos y geniales estudios?, ¿para este público que tarda tanto en admitir como en despedir a aquel a quien una vez ha ya admitido? Esto es como caminar en un arenal; esto es romperse el brazo del alma al ir a dar con todo esfuerzo y encontrarse con el aire nada más. Hay aquí cien escritores, publica cada cual cien ejemplares de cada una de sus obras y las cambian entre sí, como cambian los saludos y las envidias. El que no escribe no lee, y el que escribe tampoco lee como no le regalen lo que haya de leer. Como ninguno se halla sostenido por público compacto, numeroso y culto, ni creen en sí mismos ni en los otros –pues necesitamos de que los demás nos crean para creernos–, y a falta de esa fe, de la fe en la popularidad, única de nuestro escritor, desprécianse mutuamente o creen despreciarse más bien».

Hechas estas consideraciones se vuelve a trabajar en su *Ars magna combinatoria,* labor que ha de ser un día asombro de los siglos. No es, en efecto, la filosofía, según don Fulgencio, más que una combinatoria llevada a los últimos términos. El trabajo hercúleo, genial, estribaba en dar, como él ha dado, con las cuatro ideas madres, dos del orden ideal y dos del real, ideas que son, las del orden real: la muerte y la vida; y las del orden ideal: el derecho y el deber, ideas no metafísicas y abstractas, como las categorías aristotélicas o kantianas, sino henchidas de contenido potencial. A partir de ellas, coordinándolas de todas las maneras posibles, en coordinaciones binarias primero, luego ternarias, cuaternarias más adelante, y así sucesivamente, es como habrá de descifrarse el misterio del gran jeroglífico del Universo, es como se sacará el hilo del ovillo del eterno Drama de lo Infinito. Está en las coordinaciones binarias o simplemente *combinaciones,* como él, aunque apartándose del común tecnicismo, las llama, estudiando el derecho a la vida, a la muerte, al derecho mismo y al deber; el deber de vida, de muerte, de derecho y de deber mismo; la muerte del derecho, del deber, de la misma muerte y de la vida; y la vida del derecho, del deber, de la muerte y de la vida misma. ¡Qué fuente de reflexiones el derecho al derecho, el deber del deber, la muerte de la muerte y la vida de la vida!, ¡qué fecundas paradojas las de la vida de la muerte y la muerte de la vida! Ibsen ha presentido a don Fulgencio al hacer decir al Obispo de su drama *Madera de reyes (Kongs-Aemnerne)* aquello de: «Pero ¿con qué derecho tiene derecho Hakon y no vos?» *(Men med hvad Ret fik Hakon Retten og ikke I?).*Luego que acabe con las binarias se meterá don Fulgencio con las coordinaciones ternarias o más bien *conternaciones,* que es como él las llama, tales cuales las de la vida de la muerte del derecho, el derecho a la muerte de la vida, el deber del derecho al deber y, ¡oh fuente de paradójicas maravillas!, el derecho al derecho al derecho, o la muerte de la muerte de la muerte. Hanle presentido, además de Ibsen, Ihering con eso de que no hay derecho a renunciar los derechos, y todos los que hablan del derecho a la pena, es decir, a la muerte. Las *conternaciones* son sesenta y cuatro, y luego vienen las doscientas cincuenta y seis *concuaternaciones* y las mil veinticuatro *conquinaciones* más tarde y... ¡qué porvenir se abre a la

Humanidad! Ésta ha de ser inacabable, eterna, pues no basta la infinita consecución de los tiempos para agotar la infinita serie de las infinitas coordinaciones.

El método coordinatorio es, sin duda, la fuente de toda filosofía, el modo de excitar el pensamiento. ¿Oyes decir que el amor es el hambre de la especie?, pues inviértelo y di que el hambre es el amor del individuo. Ya Pascal, como buen filósofo, volvió aquello de que el hábito es una segunda naturaleza en lo de que la naturaleza es un primer hábito. ¿Te hablan de la libertad de conciencia?, pues compárala al punto con la conciencia de la libertad; ¿te proponen la cuadratura del círculo?, medita en la circulación del cuadrado.

Cuando se pone don Fulgencio a pensar en esto, de noche y a oscuras, descansando sobre la almohada su cabeza, junto a la de doña Edelmira, su mujer, desciende a él el sueño al peso de tan graves meditaciones. Con razón llama filosofía rítmica sobrehumana a la suya.

Profesa un santo odio, un *odium philosophicum,* al sentido común, del que dice: «¿El sentido común? ¡A la cocina!». Y cuando llega a sus oídos esa estúpida conseja de que es una olla de <u>grillos</u> su cabeza, recítase este fragmento poético que para propio regalo tan sólo ha compuesto:

> Amados grillos, que con vuestro canto
> de mi cabeza a la olla dais encanto,
> cantad, cantad sin tino,
> cumplid vuestro destino,
> mientras las ollas de los más sesudos,
> de sentido común torpes guaridas,
> de sucias cucarachas, grillos mudos,
> verbenean manidas.
> Resuenen esas ollas con el eco
> del canto de lo hueco.

Tal es el guía a quien para la educación del genio se ha confiado don Avito.

Han anunciado a don Fulgencio que Carrascal le busca, sale el filósofo en chancletas, echa a don Avito una mano sobre el hombro y exclama:

–¡Paz y ciencia!, amigo Avito... ¡cuánto bueno por aquí!...

–Usted siempre tan magnánimo, don Fulgencio... Vengo algo sudoroso; está tan lejos esta casa... Se pierde mucho tiempo en recorrer espacio...

–Casi tanto como el espacio que se pierde en pasar el tiempo... ¿Y qué tal va el papel?

Don Avito queda confundido ante esta profundidad de hombre, y como al entrar en el despacho le salta a la vista lo de que «el fin del hombre es la ciencia», vuélvese al maestro y se decide a preguntarle:

–¿Y el fin de la ciencia?

–¡Catalogar el Universo!

–¿Para qué?

–Para devolvérselo a Dios en orden, con un inventario razonado de lo existente...

–A Dios..., a Dios... –murmura Carrascal.

–¡A Dios, sí, a Dios! –repite don Fulgencio con enigmática sonrisa.

–¿Pero es que ahora cree usted en Dios? –pregunta con alarma el otro.

–Mientras Él crea en mí... –y levantando episcopalmente la mano derecha, añade–: Dispense un poco, Avito.

Frunce los labios y baja los ojos, síntomas claros del parto de un aforismo, y tomando una cuartilla de papel escribe algo, tal vez un trozo de padrenuestro, o unos garrapatos sin sentido. Entretanto, la voz interior le dice a Carrascal: «Caíste..., has vuelto a caer, caes y caerás cien veces..., éste es un mixtificador, este hombre se ríe por dentro, se ríe de ti...», y Avito, escandalizado de tan inaudita insolencia, le dice a su demonio familiar: «¡Cállate, insolente!, ¡cállate!, ¿tú qué sabes, estúpido?».

–Puede usted seguir, Avito.

–¿Seguir? ¡Pero si no he empezado!...

–Nunca se empieza, todo es seguimiento.

Confuso Carrascal ante tamaña profundidad de hombre, le explana de cabo a rabo la historia toda de su matrimonio y lo que respecto a su hijo proyecta. Le oye don Fulgencio silencioso, interrumpiéndole por dos veces con el gesto episcopal para asentar algún aforismo o escribir cualquier cosa o ni cosa alguna. Al concluir su exposición quédase Carrascal bebiéndose con la mirada el rostro del maestro, sintiendo que a su espalda tiene al *Simia sapiens,* y delante, sobre la augusta cabeza del filósofo, lo de «si no hubiera hombres, habría que inventarlos». Mantiénese don Fulgencio cabizbajo unos segundos, e irguiendo su vista, dice:

–Importante papel atribuye usted a su hijo en la tragicomedia humana: ¿será el que el Supremo Director de escena le designe?

Responde Carrascal con un pestañeo.

–Esto es una tragicomedia, amigo Avito. Representamos cada uno nuestro papel; nos tiran de los hilos cuando creemos obrar, no siendo este obrar más que un accionar; recitamos el papel aprendido allá, en las tinieblas de la inconciencia, en nuestra tenebrosa preexistencia; el Apuntador nos guía; el gran Tramoyista maquina todo esto...

–¿La preexistencia? –insinúa Carrascal.

–Sí, de eso hablaremos otro día; así como nuestro morir es un *des-nacer,* nuestro nacer es un *des-morir...* Aquí de la permutación. Y en este teatro lo tremendo es el héroe...

–¿El héroe?

–El héroe, sí, el que toma en serio su papel y se posesiona de él y no piensa en la galería, ni se le da un pitoche del público, sino que representa al vivo, al verdadero vivo, y en la escena del desafío mata de verdad al que hace de adversario suyo..., matar de verdad es matar para siempre... aterrando a la galería, y en la escena de amor, ¡figúrese usted!, no quiero decirle nada...

Interrúmpese para escribir un aforismo y prosigue:

–Hay coristas, comparsa, primeras y segundas partes, racioneros... Yo, Fulgencio Entrambosmares, tengo conciencia del papel de filósofo que el Autor me repartió, de filósofo extravagante a los ojos de los demás cómicos, y procuro desempeñarlo bien. Hay quien cree que repetimos luego la comedia en otro escenario, o que, cómicos de la legua viajantes por los mundos estelares, representamos la misma luego en otros planetas; hay también quien opina, y es mi opinión, que desde aquí nos vamos a dormir a casa. Y hay, fíjese bien en esto, Avito, hay quien alguna vez mete su *morcilla* en la comedia.

Cállase un momento, mientras Carrascal se recrea en interpretarle el pensamiento, irradiante los fulgurantes ojos y, mirando al enchisterado *Homo insipiens,* prosigue:

–La morcilla, ¡oh, la morcilla! ¡Por la morcilla sobreviviremos los que sobrevivamos! No hay en la vida toda de cada hombre más que un momento, un solo momento de libertad, de verdadera libertad, sólo una vez en la vida se es libre de veras, y de ese momento, de ese momento, ¡ay!, que si se va no vuelve, como todos los demás momentos y que como todos ellos se va, de ese nuestro momento *metadramático,* de esa hora misteriosa depende nuestro destino todo. Y ante todo, ¿sabe usted, Avito, lo que es la morcilla?

–No –contesta Carrascal pensando en su matrimonio, en la hora aquella misteriosa de su visita a Leoncia, cuando se encontró con Marina, en aquel momento metadramático en que los tersos ojazos de la hoy su mujer le decían cuanto no se sabe ni se sabrá jamás, en aquel momento de libertad... ¿de libertad?, ¿de libertad o de amor?, ¿el amor, da o quita libertad?, ¿la libertad, da o quita amor? Y la voz interior le dice: «Caíste y volverás a caer».

–Pues morcilla se llama, amigo Carrascal, a lo que meten los actores por su cuenta en sus recitados, a lo que añaden a la obra del autor dramático. ¡La morcilla! Hay que espiar su hora, prepararla, vigilarla, y cuando llega meterla, meter

nuestra morcilla, más o menos larga, en el recitado, y siga luego la función. Por esa morcilla sobreviviremos, morcilla, ¡ay!,
que también nos la sopla al oído el gran Apuntador.

Interrúmpese don Fulgencio para escribir este aforismo:
«Hasta las morcillas son del papel», y continúa:

–Prepararle para su morcilla ha de ser la labor pedagógica
de usted. Lombroso...

Al oír este nombre, vuelve Avito hacia atrás la vista, mas al
encontrarse con la mirada de los huecos ojos del esquelético
Simia sapiens, torna a atender.

–Lombroso, ese filósofo del sentido común, dirá del genio
lo que quiera, pero genio es aquel cuya morcilla se ve obligado a aceptar el Supremo Dramaturgo. Es, pues, menester
obligar al Autor Supremo a que meta en el papel nuestras
morcillas, ya que del papel mismo surgen. O hablando exoté-
ricamente, genio es el que corrige la plana al Supremo Autor,
y como este Autor sólo en nosotros, por nosotros y para nosotros los cómicos es, vive y se mueve, genio es el Autor mismo encarnado en comediante y corrigiéndose a sí mismo la
comedia por boca de éste...

Carrascal medita; las palabras de don Fulgencio le han in-
vadido a borbotones el alma, como aguas de inundación que
entran en honda sima, formando remolino en su conciencia.

–Es decir, que... –dice como quien despierta de un sueño.

–¡A preparar, a espiar su momento metadramático! –añade don Fulgencio.

Esto es demasiado para Avito; excede de su ciencia. Es una
tan sublime filosofía, que sólo en parábolas puede encarnar.

–Se lo traeré a usted, don Fulgencio...

–No, no, de ninguna manera –exclama vivamente el filósofo, que no tiene hijos–; no, yo no debo verle ni debe él verme
hasta que llegue la hora. Es conveniente que haya una mano,
aunque humana, oculta e invisible, en su sendero; nos entende-
remos nosotros dos, y cuando le juzgue en sazón vendrá a oír
mis revelaciones para disponerse así al momento de libertad...

–¿Y si le llega éste antes?

–No, ese momento sé bien hacia qué edad llega.

Sigue algún tiempo más planeando la educación del niño, cuyo principio consiste en que lo vea todo, lo experimente todo, de todo se sature y pase por todo ambiente... «Intégrese, intégrese en busca de su morcilla», repite el filósofo. Pero todo debidamente explicado, con su glosa y comentario científico. La Naturaleza –la naturaleza con letra mayúscula, se entiende– es un gran libro abierto al que ha de poner el hombre notas marginales e ilustraciones, señalando a la vez con lápiz rojo los más notables pasajes. «Lápiz rojo, mucho lápiz rojo, y como todo es en realidad notable, lo mejor sería dar de rojo al libro todo», dice don Fulgencio, que publica en cursiva todo.

Quedan, además, en que apuntará don Avito todo lo digno de mención que haga o diga el futuro genio para estudiarlo luego los dos y proveer en vista de ello.

Retírase ahora Carrascal y se encuentra con doña Edelmira en el pasillo. Mujer alta, serena, estatuaria, entrada en años ya, sonrosada, de rostro plácido; gasta peluca. Se saludan ceremoniosamente, y Carrascal sale.

–¿Es ése don Avito Carrascal, Fulgencio?

–Sí, ¿pues?

–No, nada, parece un buen hombre.

El filósofo coge con la mano la barbilla de su solemne esposa y le dice:

–Vamos, Mira, no seas mala.

–El malo eres tú, Fulgencio.

–Los malos somos los dos, Mira.

–Como quieras, pero yo creo que somos muy buenos...

–Acaso tengas razón –añade el filósofo pensativo, y luego–: ¡Caramba!, pero qué guapetona te me conservas a pesar de tus...

–Chist, chist, Fulgencio, que las paredes oyen... y ven...

«Caíste, caíste y volverás a caer cien veces –le dice la voz interior a Carrascal mientras va a su casa–; ese hombre, Avito, ese hombre..., ese hombre...» Mas al entrar en su casa y ver la rueda montada sobre el ladrillo de la ciencia, se aquieta.

Cinco

Así como todo principio tiene un fin todo fin implica un principio, y en éste se halla Apolodoro todavía. Va destetándose ya con mezcla de pesar y agrado por parte de Marina. Le hace comer su padre a reloj a tal hora y tantos minutos, pesando la comida que le da, y luego le pesa a él, tres veces al día. La higiene y la educación física ante todo; por ahora hay que hacer un buen animal y tupirle de habas; fósforo, mucho fósforo.

Empieza a andar. Para que lo logre le deja su padre en una gran pieza muellemente tapizada, que se las componga, ofreciéndole sillas y otros objetos a que se agarre y un palo que le sirva de bastón. Y si Marina quiere acudir a él al verlo vacilar, tendiendo los bracitos:

–Quieta, quieta, déjale que se caiga, que no pasará del suelo.

–¡Qué mundo éste, Virgen Santísima! –y sigue soñando la madre.

La madre, que a hurtadillas coge en brazos al hijo y le dice: «Di mamá, querido, di mamá».

Las fricciones superauriculares han dado resultado. Apolodorín rompe a hablar y el padre espía la primera palabra, su

81

expresión natural, individuante. Y hete aquí que es ésta: *¡Gogo! ¡Gogo!*, solemne misterio. *¡Gogo!*, fórmula cabalística acaso de la personalidad del nuevo genio... Porque si eso de la grafología tiene, como parece, su fundamento y le tienen otras misteriosas relaciones psicofisiológicas, ¿no ha de tenerlo la primera palabra que cada cual de nosotros pronuncia? ¡Gogo! Consultó con don Fulgencio al punto. La sonora gutural *g*, seguida de la *o*, la vocal media de las tres *a-o-u* que no tienen más que una nota específica y repetido por dos veces... ¡gogo!, ¡gogo!, ¡gogo! ¿Qué relación habrá entre este misterioso *gogo* y el futuro momento metadramático?

Don Fulgencio recuerda la experiencia que nos cuenta Herodoto hiciera el rey egipcio Psamético para comprobar cuál fue el lenguaje primitivo, cuando entregó dos niños recién nacidos a un pastor con encargo de que los criara sin que oyesen hablar a nadie, y al transcurso de dos años, entrando un día el pastor a verlos, los oyó decir *becos*, que era como los frigios llamaban al pan, con lo cual se convencieron los egipcios de que era el de los frigios, y no el suyo, el pueblo primitivo. Las investigaciones de don Fulgencio dan por resultado que en el idioma vascuence o eusquera *gogo* equivale a «deseo, ganas, humor, ánimo», y acaso por extensión, voluntad.

–El niño desea algo, sólo que lo desea en vascuence...

Luego aprende *papa, mama, pa, aba, titi, chicha...*, y un día sorprende don Avito a Apolodorín pronunciando misteriosas palabras a solas, como hablando consigo mismo: *puchulili, pachulila, titamimi, tatapupa, pachulili*.

«No lo entiendo, no acabo de entenderlo, no lo entiendo –se dice el padre, camino de la casa del filósofo–; ¿serán fatales indicios? Fue una caída... una caída... la sangre materna... Y este hombre... –mas reponiéndose añade entre dientes–: ¡Cállate!, ¡cállate!»

En tanto el niño juega al creador, forjando de todas piezas palabras, creándolas, afirmando la originalidad originaria que para tener más tarde que entenderse con los demás habrá de sacrificar; ejerce la divina fuerza creadora de la niñez, juega, egregio poeta, con el mundo, crea palabras sin sentido: *puchulili pachulila, titamimi...* ¿Sin sentido?, ¿no empezó así el lenguaje?, ¿no fue la palabra primero y su sentido después?

Don Avito observa los solitarios juegos del geniecillo, estos tanteos de actividad, este palpeo espiritual, ese recorrer en todas direcciones el bosque por si se le presenta un nuevo camino. Observa qué efecto le hace el enseñarle una pulga a simple vista primero, y al microscopio después. El hule que cubre la mesa es de esos en que están representados los principales inventos con los retratos de los inventores. A Montgolfier le llama papá porque se parece a don Avito, su padre.

Mientras el padre se encierra con el filósofo, enciérrase la madre con el hijo, y allí es el besuquear al sueño de su sueño.

–Mamá, di querido.

–¡Querido! ¡Querido mío! ¡Rico! ¡Rey de la casa! ¡Cielo! ¡Querido!, ¡querido...! Luis, Luisito, Luisito, mi Luis...

Porque al bautizarle hizo que le pusieran Luis, el nombre de su abuelo materno, del padre de Marina, en vez de aquel feo Apolodoro, y es Luis el nombre prohibido, el vergonzante, el íntimo.

–Luis, mi Luis, Luis mío, Luisito, mi Luisito –y se lo come a besos.

Le aprieta la boca contra la boca, sacudiendo la cabeza a la vez, la separa luego de pronto, quédasele mirando un rato y gritando: «¡Luis!, ¡mi Luisito!», vuelve a unir boca a boca con ahínco.

–¿Di, mamá, me quieres?

–Mucho, mucho, mucho, Luisito, mi Luis, mucho, mucho, mucho, sol, cielo, mi Luis, ¡Luisito!..., ¡Luis!

–¿Me quieres mucho, mamá?

–Mucho... mucho... mucho... Luis, sol de mi vida... ¡Luis!

–¿Cuánto me quieres?

–Más que todo el mundo.

–¿Más que a papá?

Núblase la frente de Marina, ¡si viese esto Avito!...

Con el remordimiento de un furtivo crimen, aterrada ante la aparición invisible del Destino, se levanta de pronto y deja al niño para seguir soñando.

Y aquí ahora otra vez que apretándole contra su seno, exclama: «Mío, mío, mío, mi Luis, mi Luisito, Luis, Luis mío, mío, mío, sol, cielo, rey, mi Luis, Luis mío, mío, mío», mientras el niño la mira sereno, como se mira al cielo cuando se va de paseo. En estas furtivas entrevistas le habla la madre de Dios, de la Virgen, de Cristo, de los ángeles y de los santos, de la gloria y del infierno, enseñándole a rezar. Y luego: «No digas nada de esto a papá, Luisito; ¿has oído, querido?». Y al sentir los pasos del padre, añade: «¡Apolodoro!».

Acaba de persignarse Apolodoro ante su padre y empieza el corazón a martillearle a Marina el pecho, mas, ¡oh lógica del sueño!, una vez más, lo inesperado.

–Me lo suponía, Marina, me lo suponía, y no voy a reñirte, pues he hablado ya con don Fulgencio acerca de ello. El embrión pasa por las fases todas por las que ha pasado la especie, el proceso ontogénico reproduce el filogénico, es infusorio primero, casi pez después, mamífero inferior luego... La humanidad pasó por el fetichismo; pase por él cada hombre. Yo me encargo de sacarle más adelante de este estado, convirtiendo en potencias ideales sus actuales fetiches. Háblale del Coco, que ya verás en qué se le convierte ese Coco al cabo...

Vuelve Marina a someterse al sueño, con su soñada lógica.

Más que la influencia de la madre teme Avito la de las niñeras, los cuentos de brujas, las preocupaciones populares. Y ¿por qué estima estos cuentos y estas preocupaciones más graves que aquellas tradicionales leyendas que su madre le imbuye? «Mira, Avito –le dice la voz interior–, que al tener más que le hablen del Coco que de Dios, al no inquietarle de que le imbuyan la creencia en ángeles y sí la creencia en brujas, mira que al hacer eso lo pones en distinta esfera... Mira,

Avito, mira bien», y se le revuelve el poso de su niñez, de esa niñez de que nunca habla. «¡Cállate!, ¡cállate!, ¡cállate, impertinente!», le dice Avito.

Con la facultad de hablar empieza a ejercer Apolodorín su imaginación, inventando mentirijillas; adiéstrase en la única potencia divina, burlándose de la lógica. Despiértasele el santo sentido de lo cómico, se recrea en toda incongruencia y en todo absurdo. Ríe de todo corazón, de corazón de niño, echando hacia atrás la cabecita, todo ensarte de palabras sin sentido, goza con romper el nexo lógico de la asociación de ideas y el cincho de su enlace normal; espacíase por el campo de lo incongruente.

Acaba de sorprenderle hoy su padre recitando este relato, aprendido de la niñera, acaso, o de otros niños:

> Teresa,
> de la cama a la mesa;
> confites,
> de los que tú me *distes;*
> tabaco,
> no lo gasta mi majo;
> de hoja,
> para meterme monja;
> del Carmen,
> para servir a un fraile;
> Francisco,
> por las llagas de Cristo;
> barbero,
> sángrame, que me muero;
> de lado,
> de dolor de costado;
> arriba,
> hay una verde oliva;
> abajo,
> hay un verde naranjo;
> en medio,
> hay un niño durmiendo.
> ....

Y ahora le sorprende esto otro:

> Chúndala, que es buena;
> chúndala, que es mala;
> ha comido berros,
> ha bebido agua,
> y por eso tiene
> la barriga hinchada.

Cuando Carrascal, todo alarmado, cuenta esto a don Fulgencio, frunce el maestro la frente, ladeando la pensadora cabeza, contrariado porque al apoyarse Avito contra la mesa le movió los cachivaches que llenan su bufete. Pónelos en orden el filósofo, porque tiene cada objeto, tintero, lápices, tijeras, reloj, fosforero, plumas, adscrito a su lugar, y exclama:

–¡Esfuerzos por salirse del escenario, por sacudirse de la verosimilitud, ley de nuestra tragicomedia!

–¿Y qué hacer?

–¿Qué hacer? Dejarle, dejarle que vuele, que él tendrá que volver a tierra, a picar el grano pisando en suelo firme. No se cogen granos volando. Sólo la lógica da de comer.

Y mientras se detiene para escribir este aforismo, que como los más de ellos se le ocurren hablando, pues es hombre el filósofo que piensa en voz alta, se dice don Avito: «¡Dejarle!, ¡siempre que se le deje!, ¡a todo que se le deje!, ¡extraña pedagogía! ¿Qué se propondrá este hombre?».

–¿Dejarle?

–¡Sí, dejarle! ¿Ha sido usted alguna vez niño, Carrascal?

Avito vacila ante esta pregunta, y responde:

–No lo recuerdo, al menos... Sí, sé que lo he sido porque he tenido que serlo, lo sé por deducción, y sé que lo he sido por los que de mi niñez me han hablado, lo sé por autoridad, pero, la verdad, no lo recuerdo, como no recuerdo haber nacido...

–Aquí, aquí está todo, Avito, ¡aquí está todo! ¿Usted no recuerda haber sido niño, usted no lleva dentro al niño, usted no ha sido niño, y quiere ser pedagogo?, ¡pedagogo quien no recuerda su niñez, quien no la tiene a flor de conciencia!, ¡pedagogo! Sólo con nuestra niñez podemos acercarnos a los niños. Conque

> ¿Arriba
> hay una verde oliva;
> abajo
> hay un verde naranjo?

»Eso, eso, eso porque no tiene sentido, sí, porque no tiene sentido... Tampoco las morcillas tienen sentido, porque no están en el papel. ¿Pues qué quiere usted que cante? ¡Dos por dos, cuatro; dos por tres, seis; dos por cuatro, ocho!... ¿No es eso? Ya le llegará su hora, ya le llegará la hora terrible de la lógica. Ahora déjele, déjele, déjele...

«Que le deje –se dice Avito en la calle–, que le deje..., que le deje..., le dejaré, sí, pero repitiéndole, aunque no me entienda, otras cosas. ¿Por qué habrán fracasado cuantos han intentado componer canciones de corro con lógica y buen sentido y que los niños las adopten? ¿Por qué ama el niño el absurdo?»

Llega a casa, oye a su hijo una absurda conseja y le pregunta:

–Pero vamos a ver, Apolodoro, ¿crees eso?

El niño se encoge de hombros. ¡Vaya una pregunta! ¡Que si cree en ello!... ¿Sabe acaso el niño lo que es creer en algo que se dice?

–Vamos, dímelo, ¿crees en eso? ¿Crees que eso es verdad?

¿Verdad? El niño vuelve a encogerse de hombros. ¿Será que para el futuro genio no hay aún pared entre lo real y lo fingido? ¿Será que inventa las cosas y las cree luego como asegura don Fulgencio? ¿Será el principio de la morcilla?

Y he aquí que al oír un día el niño a la niñera que le acusa de una picardigüela, exclama:

–¡Eso lo habrás soñado!

Vuelve a quedar encinta Marina, con estupor de la Forma, que no contaba con semejante contratiempo. Y maldice una ves más del instinto, porque el nuevo ser ¿estorbará o ayudará a la formación del genio? ¿No conviene acaso que éste se cree solo?, ¿será genio también?

–Anda, anda –exclama Apolodorín un día–, ¡qué gorda se está poniendo mamá!

Y mientras la pobre Marina se enciende en rubor, el padre dice:

–Mira, Apolodoro, de ahí, de esa gordura, va a salirte un hermanito o hermanita...

–¿De ahí? –exclama el niño–. ¡Qué risa!

–¡Avito! –suspira en sueños, suplicante, la Materia.

–Sí, de ahí. Nada de eso de que los traen de París y otras bobadas por el estilo; la verdad, la verdad siempre. Si fueras mayor, hijo mío, te explicaría cómo brota la mórula del plasma germinativo.

La Materia, sofocada, empieza a rezumar lágrimas de los ojos.

Y ahora que Carrascal cuenta, satisfecho, lo ocurrido a don Fulgencio, recibe una nueva sorpresa.

–Dotes de observador no le faltan, por lo visto, al chiquillo –dice el maestro–, pero no veo por qué había de haberle usted dicho eso, o no haberle dicho una mentira...

–¡Una mentira! –exclama Carrascal, ensanchando los ojos.

–Sí, una mentira... provisional.

–Aunque sea provisional..., ¡una mentira!

–¿Pero aún está usted en eso, Carrascal? ¿Hay acaso mayor mentira que la verdad? ¿No nos está engañando? ¿No está engañando la verdad nuestras más genuinas aspiraciones?

«Pero este hombre..., pero este hombre...», se dice Carrascal en la calle, confundido. La imperfecta realidad es un muro de bronce contra sus planes; ni tiene voluntad. «Pero este hombre...» Mas al recordar lo de «¿Aún está usted en eso, Carrascal?», reacciona y se dice: «Sí, ¡tiene razón!».

«¿Y si da a su madre? ¿Puede la pedagogía transformar la materia prima? ¿No hice acaso un disparate al ceder al... al...

al... –se le atraganta en el gaznate mental el concepto– al...,
confiésatelo, Avito, al amor?» Y una vez aceptado el concepto,
acallando la voz del demonio familiar que le murmura: «¿Lo
ves? Caíste, caíste y caerás cien veces», prosigue pensando:
«¡El amor! El pecado original, la mancha originaria de mi
hijo, ¡oh, qué simbolismo más hondo encierra eso del pecado
original! No me va a resultar genio; he fiado con exceso en la
pedagogía, he desdeñado la herencia y la herencia se venga...
La pedagogía es la adaptación, el amor, la herencia, y siempre
lucharán adaptación y herencia, progreso y tradición..., mas
¿no hay tradición de progreso y progreso de tradición, como
dice don Fulgencio?, ¿no hay pedagogía de amor, pedagogía
amorosa y amor de pedagogía, amor pedagógico a la vez que
pedagogía pedagógica y amor amoroso! ¡Lo que se pega en el
contacto con este hombre! ¡Es mucho hombre! Tengo que
vencer en mi hijo toda la inercia que de su madre ha hereda-
do; sé claro, Avito, toda la irremediable vulgaridad de tu mujer... El arte puede mucho pero ha de ayudarle la Naturaleza.
Tal vez como un torpe impulsivo he sacrificado mi hijo al
amor en vez de sacrificar el amor a mi hijo... La Humanidad
vivirá sumida en su triste estado actual mientras nos casemos
por amor, porque el amor y la razón se excluyen... Padre y
maestro no puede ser; nadie puede ser maestro de sus hijos,
nadie puede ser padre de sus discípulos; los maestros debe-
rían ser célibes, neutros más bien, y dedicar a padrear a los
más aptos para ello; sí, sí, hombre cuyo solo oficio fuera hacer
hijos que educarían otros, dar la primera materia educativa,
la masa pedagogizable... ¡El amor..., el amor...! Pero es, Avito,
¿que has amado alguna vez a Marina...? ¿La he amado? ¿Y qué
es esto de amar?».

Al llegar a este punto de sus meditaciones, tropieza su vista con un niño que está meando en un hoyo que ha hecho.

«¿Qué significa esto?, ¿por qué hace eso? Y si me hubiese
casado con Leoncia, ¿cómo sería Apolodorín, mi Apolodoro?
Y si ese Medinilla que va a casarse con Leoncia se hubiera ca-

sado con Marina, ¿cómo sería Apolodorín, su Luis? Y...» Al
llegar a este punto, ocúrrele a la mente aquella paradoja de
don Fulgencio, de qué habría sido de la historia del mundo si
en vez de habernos descubierto Colón América hubiera descubierto a Europa un navegante azteca, guaraní o quechua.

«¿Qué será mi Apolodoro?», piensa al subir las escaleras de
casa, y le sale el niño al paso, exclamando:

–¡Papá, quiero ser general!

Exclamación que cae como un bólido en sus meditaciones.

–No, hombre, no; no puedes querer eso... Te equivocas,
hijo mío... ¿Quién te ha enseñado eso?, ¿quién te ha dicho que
quieres ser general? ¡Ah, sí! ¿Porque has visto hoy pasar a la
tropa? No, Apolodoro, no; mi hijo no puede querer eso... in-
terpretas mal tus propios sentimientos... La sociedad va saliendo del tipo militante para entrar en el industrial, como
enseña Spencer; fíjate bien en este nombre, hijo mío, Spencer.
¿Lo oyes? Spencer, no importa que no sepas aún quién es, con
tal que te quede el nombre, Spencer, repítelo, Spencer...

–Spencer...

–¡Así..., así! No, no puedes querer eso...

–¡Sí, papá, quiero ser general!

–¿Y si te dan un tiro en la guerra, hijo mío? –insinúa dulcemente Marina desde el fondo de su sueño.

Mira Carrascal a su mujer y a su hijo, baja la cabeza y dice:
«¡Dejarle! ¡Dejarle! Que le deje... Pero ese hombre... Ese hombre... ¡Hay que proceder con energía!».

Seis

El filósofo insiste en que se dé al niño educación social, en que se forme en sociedad infantil, que se le mande a que juegue con otros niños, y al cabo, Carrascal, aunque a regañadientes primero, cede. Pero es terrible, oh, es terrible, es terrible la escuela. ¡Qué de cosazas trae de ella!

–Papá, el sol les dice a los planetas por dónde tienen que ir...

«¡Oh, la escuela, la escuela! ¡Le están enseñando en ella antropomorfismo! ¿Que el sol *dice*?... Y ¿cómo le desarraigo esto? ¿Desarraigar? ¿Pero es que tiene raíces? ¡Desarraigar! La lengua misma con que hacemos la ciencia está llena de metáforas. Mientras no la hagamos con álgebra no habrá cosa buena. Decididamente, tengo que intervenir ya, y aunque vaya a la escuela, instruirle yo.»

–Papá, todos quieren ser ladrones, y a mí me ponen de guardia civil siempre, porque soy el más chiquito...

–Mejor, hijo mío, mejor; vale más ser guardia civil que ladrón...

–¡No, no es mejor, los ladrones se divierten más!

«¡Oh, esta educación socio-infantil! ¿Qué buscará con ella don Fulgencio? ¡Es terrible, verdaderamente terrible!»

91

Y ahora, al pasar por la plaza, acaba de oír que una madre dice a su hijo, que le viene llorando de una pelea:

–¡Antes con las tripas fuera que llorando! ¡Coge un canto, rómpele la cabeza!

«¡Oh, los niños, los desgraciados niños sin pedagogía alguna!... ¿Para qué sirven, como no sea para que con el contraste se ponga de relieve el valor de la pedagogía de los que la tienen?»

Y al llegar a casa:

–Mira, Apolodoro, tú no pegues nunca a ninguno, déjate antes pegar o, mejor aún, huye...

–Es porque me pueden, que cuando sea grande...

Y he aquí que acaba de encontrarle su padre trabado a moquetes con otro muchacho.

–¡Pero, Apolodoro, ven acá! ¡Acá te he dicho!

–¡Es que siempre me andan burlando: «¡Apolo! ¡Bolo, bolo, boliche!... ¡Polodoro..., boloro... boloriche!», siempre me andan burlando con el nombre –y rompe a llorar.

«¡Oh, no, no, esto es anticientífico, tengo que imponerme... hora es ya de aplicar mis principios!»

Se decide a enseñarle a hablar, a leer y a escribir como se debe. Y para enseñarle a hablar, por leyes y no por reglas, pónese a estudiar lingüística, y a los pocos pasos tropieza. «¡Qué absurda es una lengua! Se ahogó en el río, verbigracia: *ahogarse*... de *ad-focare se*, de *focus*, fuego; como quien dice, enfogarse, y enfogarse... ¡en agua! Es como si dijéramos: se enaguó en fuego... Otra cosa: es probable..., y probable es lo que puede probarse, y nada hay más seguro que lo probable... ¡Lástima que tengamos que hablar en lenguajes así y no en álgebra!» Y renuncia a enseñarle a hablar por leyes.

Pero no a enseñarle a escribir con ortografía fonética, la del porvenir, la única racional. Duda primero si optar por la *q* o por la *k* para la gutural fuerte; si escribir Qarrasqal o Karraskal, pero se queda al fin con la *k* para no quitar a las palabras kilómetro y kilogramo su tradicional y científico aspecto. Además, Kant, Kepler, etcétera, empiezan con *k*, y con *q*, ¿qué grande hombre hay? No recuerda más que a Quesnay y a Quetelet. *I así es komo empezó el niño a berter su pensamiento en forma gráfica, i en la únika berdaderamente científika ke ai, por lo menos oi, hasta ke no adoptemos el áljebra.*

«Pero... ¿no hubiera sido mejor dejarle que ideara jeroglíficos y ayudarle en el proceso evolutivo de ellos, hasta que hallase por sí la escritura? La escritura científica sería escribir con las curvas mismas que la palabra registra en el cilindro del fonógrafo; mas para llegar a eso tenemos que acabar de entrar en la edad positiva.»

Pónele también a aprender dibujo, a que adquiera el sentido de la forma, único camino para llegar a adquirir el del fondo. Y el método de enseñanza es ingenioso si los hay. Le hace dibujar pajaritas de papel en todas las posturas y proyecciones, pues las pajaritas, sobre ser objetos de bulto, afectan formas geométricas.

Y paseos a diario, pues es paseando como mejor le instruye. Detiénese de pronto don Avito, levanta una piedra del suelo y dice:

–Mira, Apolodoro –suelta la piedra–, ¿por qué cae?

Y como el chico le mira silencioso, repite:

–¿Por qué cae y no sube cuando la suelto?

–Si fuera un globo...

–Pero no lo es... Vamos, ¿por qué cae?

–Porque pesa.

–¡Ahahá! ¡Ya estamos en camino! Porque pesa... ¿Y por qué pesa?

El chico se encoge de hombros, mientras allá, en sus entrañas espirituales, su demoñuelo familiar –pues también le tiene– le dice: «Este papá es tonto».

–¡Papá, tengo frío!

–¡El frío no existe, hijo mío!

«Es tonto, decididamente tonto.»

Otras veces toca preguntar al chico, para tormento del padre: «Papá, ¿por qué no tienen barbas las mujeres?». A punto estuvo Carrascal de responder: «Porque las tienen los hombres, para diferenciarse en la cara», pero se calló.

–Mira, hijo: en un triángulo que tenga dos ángulos desiguales, a mayor ángulo se opone mayor lado....

–Sí, ya lo veo, papá.

–No basta que lo veas; hay que demostrártelo.

–¡Pero si lo veo!...

–No importa. ¿De qué sirve que veamos las cosas si no nos las demuestran?

Y así empieza a dar vueltas en la cabeza de Apolodoro Carrascal el caleidoscopio, en que cada figura tiene trampa; un mundo de *vistas* con su inscripcioncilla, que hay que descifrar, debajo de cada una.

Hoy pregunta Apolodoro:

–Papá, ¿para qué es este ladrillo en que dice «Ciencia» y la ruedecita de encima?

–¡Gracias a Dios, hijo, gracias a Dios! –y mientras al demonio familiar que le susurra: «¿A Dios?, ¿a Dios, Avito?, ¿a Dios? Caíste, caíste, y seguirás cayendo», le contesta en su interior: «¡Cállate, tonto», prosigue–: ¡Al fin te fijaste en ello! Hace tiempo que lo esperaba. Mira, Apolodoro, hay que dar algo a la imaginación, sí, hay que dar algo a la imaginación, creadora de las religiones; necesita su válvula de seguridad. Ése es el altar de la religión de la cultura.

–¿Altar?

–Sí. Mira, el ladrillo cocido fue, según Ihering, el principio de la civilización asiria, fue el principio de la civilización; supone el fuego, la invención que hizo al hombre hombre, y permitió la escritura, pues las más antiguas inscripciones se nos conservan en ladrillos cocidos. Los primeros libros eran de ladrillos...

–¿De ladrillo? ¡Oivá!, y ¿cómo los llevaban?

–La casa era el libro; hoy es el libro nuestra casa. El ladrillo hizo posible la escritura; por eso lleva ese ladrillo escrita la palabra *Ciencia*.

–¿Y la ruedecita?

–¿La ruedecita? ¡Ah, la rueda!, ¡la rueda, hijo mío, la rueda! La rueda es lo específico humano; la rueda es lo que de veras ha inventado el hombre, sin tomarlo de la naturaleza. En los organismos vivos verás palancas, resortes, pero no verás ruedas. De aquí que el medio más científico de locomoción es la bicicleta. Éste es el altar de la cultura, ¿no sientes tu imaginación satisfecha?

De paseo llevan la brújula para orientarse, y algún día, el sextante para tomar la altura del sol, y termómetro, barómetro, higrómetro, lente de aumento.

Y es tiempo de que el niño empiece a llevar sus cuadernitos, la contabilidad de su experiencia, y nota de la temperatura y la presión máximas y mínimas, y que haga gráficas estadísticas de todo lo gráfico-estadisticable.

Ahora van a ver en un museo de historia natural la evolución, pues no bastan los grabados de casa. Entran en la sala en que trasciende a enjuagues y drogas, y allí, tras las vitrinas, pellejos rellenos de algodón, pajarracos, avechuchos, bichos de todas clases en actitudes cómicas o trágicas, sujetos a sus peanas; algunos conservados en frascos de alcohol. Apolodoro se agarra fuertemente a su padre.

–¿Son de verdad, papá? ¿Son de carne?

Y cuando se ha serenado:

–¿Cómo los han cogido?

–Mira, mira, aquí, hijo mío; mira el oso hormiguero, o mejor dicho *Myrmecophaga jubata;* mira, tiene esa lengua así para...

–¿Puede más que el leopardo?

–Tiene esa lengua así para coger hormigas, las garras...

–¿Quién salta más?

–Pero fíjate en el oso hormiguero, niño, que en nada te fijas; fíjate en el oso hormiguero, que es un excelente caso...

–Sí, ya me fijo; ¡qué feo es!... Y éste, éste, ¿cómo se llama éste?

–Éste es el canguro. Lee ahí. ¿Qué dice?

–Ma... ma... cro... cro... macro... macropus... ma... ma... ma-jor...

–*Macropus major.*

–¿Y qué es eso?

–Su verdadero nombre, su nombre científico; les ponen ahí el nombre.

Retíranse al poco rato a casa, cariacontecido el padre y meditabundo: ¡el niño no se fija, no se fija!... De buena gana, para abrirle el apetito, le daría a leer novelas de Julio Verne si no fuesen novelas, si les quitasen lo novelesco. Así es que queda estupefacto cuando al decir esto a don Fulgencio le contesta el filósofo:

–Pues yo le aconsejaría de buena gana que las diese a leer si fueran novelas y les quitasen lo científico.

«Este hombre..., este hombre... –le dice el demonio familiar–: ten ojo con este hombre, Avito.»

Vuelve don Fulgencio a la carga para que envíe al hijo a la escuela, encargando que no le enseñen nada.

–Pero si el ensayo...

–El ensayo no ha sido malo, diga usted lo que quiera.

–Pero si allí no le han enseñado más que disparates...

–De esos supuestos disparates surgirá la luz.

–¡Pero si mi hijo tiene tendencias mitológicas, y en la escuela en vez de combatírselas se las corroboran!...

–¿Tendencias mitológicas?

–Sí, tendencias mitológicas. Un día me salió diciendo que ya sabe quién enciende el sol, que es el solero, y al preguntarle yo cómo sube, me contestó que volando.

–Una especie de Apolo...

–Si en la escuela...

–¡Nada, nada, a la escuela, a la escuela! Luego entraremos nosotros.

–Luego..., luego..., siempre luego...

Y vuelve Apolodoro a la escuela, y hoy, primer día de su segundo ensayo de escuela, al volver de ella, dice a su padre:

–Papá, ya sé quién es el más listo de la escuela.

–¿Y quién es?

–Joaquín es el más listo de la escuela, el que sabe más...

–¿Y crees tú, hijo mío, que el que sabe más es el más listo?

–Claro que es el más listo...

–Puede uno saber menos y ser más listo.

–¿Entonces, en qué se le conoce?

Y el pobre padre, despistado con todo esto, sin lograr reconstruir a su hijo y diciéndose: «¡Parece imposible que sea hijo mío! ¡Qué niño tan extraño! No se fija en nada, no para la atención en nada; nada le penetra, y hasta le estorban los brazos para dormir».

–Vamos, Apolodoro, escribe a tu tía.

–No sé cómo decirle eso, papá.

–Como quieras, hijo mío.

–Es que no sé cómo querer.

«¡Que no sabe cómo querer!... ¡Oh, la pedagogía no es tan fácil como creen muchos!»

–Vaya, aquí está la policlínica del doctor Herrero; vamos a verla, hijo mío, que hay que ver de todo.

–Bueno.

Y una vez dentro:

–¡Oh, qué conejito, qué mono!, ¡qué ojos tiene!, ¡si parecen de ágata, de esa de hacer canicas!, y debe de tener frío; ¡cómo tiembla!

–No, pequeño, no tiene frío, es que se va a morir pronto.

–¿A morir?, ¡pobrecito!, ¡pobre conejito!, ¿por qué no le curan?

–Mira, hijo mío, este señor le ha metido esa enfermedad al conejo para estudiarla...

–¡Pobre conejillo!, ¡pobre conejillo!

–Para curar a los hombres luego...
–¡Pobre conejillo!, ¡pobre conejillo!
–Pero mira, niño, hay que aprender a curar.
–Y ¿por qué no le curan al conejillo?

Esta noche sueña Apolodoro con el pobre conejillo, y Avito con su hijo.

¡Qué escenas silenciosas y furtivas cuando en los raros momentos en que el padre los deja coge la madre a su hijo, lo abraza y sin decir palabra le tiene así abrazado, mirando al vacío, llenándole de besos la cara! El chico abre los ojos sorprendido; éste es otro mundo, tan incomprensible como el otro, un mundo de besos y casi de silencio.

–Ven acá, hijo mío, Luis, Luisito, mi Luis, Luis mío, ven acá, mi vida. Luis, mi Luis... ¡Luis! Ven, repite: Padre nuestro...

–Padre nuestro...

–Sí, tu padre, el otro, el que está en el cielo... Padre nuestro que estás en los cielos...

–Padre nuestro que estás en los cielos...

–Santificado sea tu nombre... ¡ah!, ¡la puerta! Luis, mi Luis, Luisito, Luis mío, mi Luis, ¡vete!, ¡calla!, no le digas nada; ¿has oído? ¡Aquí viene!... ¡Apolodoro!

Y por el espíritu del niño desfila en pelotón: «¿Por qué caen las piedras, Apolodoro? ¿Por qué a mayor ángulo se opone mayor lado? ¡Apolodoro! ¡Polodoro..., boloro..., boloriche! ¡Apolo... bolo...! ¡Ese Ramiro me las tiene que pagar!... Luis, Luis, mi Luis, Luisito..., santificado sea tu nombre... no le digas nada, ¿has oído? ¿Por qué me llamará mamá Luis?... El oso hormiguero tiene la lengua así... ¡Pobre conejillo! ¡Pobre conejillo!».

Siete

El segundo hijo que ha dado a Avito Marina ha sido niña. Ni la ha pesado, ni medido, ni abierto expediente al nacer; ¿para qué? ¿Hija? Carrascal vuelve a pensar en eso del feminismo, al que jamás ha logrado verle alcance. ¿Hija? Allá por dentro le encocora la cosa, es decir, la hija.

Tiempo hace que se formara convicciones respecto a lo que la mujer significa y vale. La mujer es para él un postulado y como tal indemostrable; un ser eminentemente vegetativo. La galantería es enemiga de la verdad, piensa, y debemos a la mujer, en su pro mismo, la verdad desnuda y aun más que desnuda, descarnada, porque ¿es acaso verdad una verdad que no esté en huesos, demostrable?

–No hay cuestión feminista –decía años hace don Avito a su fiel Sinforiano, de sobremesa, en casa de doña Tomasa–; no hay cuestión feminista; no hay más que cuestión pedagógica, y en ésta se refunden todas...

Pero habrá cuestión pedagógica aplicada a la mujer... –se atrevió a insinuar Sinforiano.

–¡Psé! Vista así la cosa... Lo peor es, amigo Sinforiano, eso de que la hayan puesto los hombres en un altar y la tengan allí, sujeta al altar, en mala postura, molestándola con incienso...

–¡Oh, muy bien, muy bien!...

–El fin de la mujer es parir hombres, y para este fin debe
educársela. Considérola, amigo Sinforiano, como tierra dis-
puesta a recibir la simiente y que ha de dar el fruto, y por lo
tanto, es preciso, como a la tierra, meteorizarla...

–¡Qué teorías, oh, qué teorías, don Avito!

–Meteorizarla, sí. Mucho aire, mucho sol, mucha agua...
De aquí que yo crea que es la mujer la que principalmente
debe dedicarse a la educación física...

Teorías en que se afirma ahora Carrascal después de su
matrimonio. La mujer representa la Materia, la Naturaleza;
material y naturalmente hay que educarla, por lo tanto.

–Con la niña, Marina, mucho aire, mucho sol, mucho paseo,
mucho ejercicio, que se haga fuerte... Yo tengo mis ideas...

Y la pobre Materia mira a esta su Forma, que tiene sus
ideas, apretando contra el seno a la pequeñuela, a la pobre
hija, a la que será mujer al cabo, ¡pobrecilla! Se la dejan, se la
dejan para ella sola, le dejan la flor de su sueño, la triste sonrisa hecha carne. Es un encanto de niña, sobre todo cuando
en sueños parecen mamar sus labios de invisible pecho. Én-
tranle entonces a la madre, que la contempla, con golpe de
apoyadura, ansias de hartar de besos a esta flor de su sueño;
mas por no despertarla, ¡que duerma!, ¡que duerma!, ¡que
duerma lo más que pueda! Por no despertarla se los tiene
que guardar, los besos, y allí se derraman por las entrañas cantándole extraños cánticos. ¡Oh, la niña!, ¡la niña!, ¡vaso de amor!

Y la niña, Rosa –porque don Avito deja ahora a su mujer que
le dé nombre, ¿qué importa cómo se llame una mujer?– crece
junto a Apolodoro, crece mimosa, apegada al regazo materno. Y
rompe a andar y a hablar antes que a ello rompió su hermano.

–Me sorprende, don Fulgencio, la cosa; la niña parece más
despierta que el niño...

–Cuanto más inferior es la especie, amigo Carrascal, antes
llega a madurez; según se asciende en la escala zoológica, es
más lento el desarrollo de la cría...

–Sin embargo, suelo pensar si las hijas heredarán del padre la inteligencia y de la madre la voluntad, y si será cierto lo que aseguraba Schopenhauer de que los hombres heredan la inteligencia de la madre y la voluntad del padre...

–Eso lo dijo el terrible humorista de Danzig porque su padre se suicidó y su madre escribió novelas, cuando acaso el suicidio fue la novela de su padre y las novelas fueron el suicidio de su madre.

Cuando Rosita, que es muy caprichosa, llora, exclama el padre:

–Déjala llorar, mujer, déjala llorar, que así se le desarrollan los pulmones. Que los meteorice con el llanto. Trae al despertarse su tensión nerviosa, que ha de descargar, y lo hace llorando. Y como tiene que llorar tanto o cuanto, inventa motivo. Te pide ese dedal, y se lo das; te pedirá luego el reloj, y se lo darás, y luego otra cosa, y al cabo la luna, sabiendo que no se la puedes dar, para motivar sus lágrimas. Déjala llorar, mujer, déjala llorar, que se meteorice.

Y son los besos a enjugar las lágrimas mientras don Avito frunce las cejas, son los besos de inconciente protesta, son los besos con que a las barbas del pedagogo regala a su hija, llenándola de microbios, mientras desde un rincón mira de reojo Apolodorín, con tristes ojos de genio abortado.

Esta niña, estos lloros, estos besos... ¡oh, el feminismo!

Y pasa el tiempo y la niña empieza ya a coger cepillos, un barómetro, lo primero que encuentra, y lo envuelve en un babero y lo arrulla, apretándolo contra el seno, y le mece cantándole. Y el padre espía cómo arrulla y mece el barómetro y se empeña en que la acuesten con él, con el *guingo* o niño. ¡Oh, el instinto!, ¡el instinto!, ¡palabra que inventó nuestra ignorancia!

Acaba de llegar Carrascal a presencia de don Fulgencio cuando éste, con la jícara de chocolate, frío ya, al lado, medita un aforismo.

–¡Nada, no acabo de resolverlo! –exclama de pronto el filósofo, rompiendo el silencio con que ha recibido a su fiel don Avito–; aforismo le hay, no me cabe la menor duda; aforismo le hay, pero ¿en qué sentido? ¿Hemos de decir que la mujer nace y el hombre se hace, o viceversa: que nace el hombre y se hace la mujer?, ¿es la mujer de herencia y el hombre de adaptación, o por el contrario?, ¿cuál es el primitivo?, ¿o se han diferenciado de algo primitivo que no era ni hombre ni mujer?

–Precisamente... –empieza Carrascal, asombrado de esta concordancia de preocupaciones.

–Porque –continúa el filósofo volviéndose ya al chocolate– la mujer es rémora de todo progreso...

–Es la inercia, la fuerza conservadora –agrega don Avito.

–Sí, ella es la tradición, el hombre el progreso...

–Apenas si discurre...

–Hace que siente...

–Como no parimos, exagera los dolores del parto.

–Como discurrimos, finge discurrir...

–Es un hombre abortado...

–Es el anti-sobre-hombre.

Óyense pasos de doña Edelmira, métese en la boca el filósofo una sopa de chocolate y callan los dos hombres.

–Acuérdate, Fulgencio –dice, luego de saludar a don Avito doña Edelmira–, de que hoy tienes que ir a casa del notario...

–¡Ah, es cierto! ¡Memoria mía!... Pero ¡qué cabeza!...

–¡Qué memoria tienes, chico! Mira que si lo dejas...

–Nada, que si lo dejo me perdía cinco mil pesetas...

–Y luego hubieras dado contra mí... Pero ¡qué memoria!...

–Mi memoria eres tú...

–Y tu voluntad...

–¡Hombre, hombre!... ¡Digo, mujer!...

–Sí, aunque esté aquí este señor...

–Nada, que podía haberme perdido cinco mil pesetas... ¡Que Dios te lo pague, memoria mía!

–¿Dios? –pregunta don Avito, así que se ha retirado doña Edelmira.

–Ya le tengo dicho cien veces que no tenga esa manía a Dios, que no padezca de teofobia, que es mala enfermedad, y sobre todo, a cada cual hay que hablarle en su lengua, so pena de que no nos entendamos; ¿qué más da, después de todo, decir Dios que decir...?

–Sin embargo...

–¿Y cómo hablar, si no, a las mujeres?

–¡Ah, las mujeres, rémora de todo progreso!... Apenas si discurre...

–Hace que siente...

–Es un hombre abortado...

–Es el anti-sobre-hombre...

Y continúa el dúo, al acabar el cual exclama don Fulgencio, pensando en el Sócrates de los diálogos platónicos:

–¿No quedamos, Carrascal, en que es el hombre lo reflexivo y lo instintivo la mujer?

–Quedamos.

–¿No parece que sea la mujer la tradición y el hombre el progreso?

–Así parece.

–¿No resulta ser la mujer la memoria y el hombre el entendimiento de la especie?

–Resulta así.

–¿No decimos que la mujer representa la naturaleza y la razón el hombre, Avito?

–Eso decimos.

–Luego la mujer nace y el hombre se hace –agrega triunfalmente don Fulgencio.

–¡Luego!

–Y el matrimonio, mal que nos pese, amigo Carrascal, es el consorcio de la naturaleza con la razón, la naturaleza razonada y la razón naturalizada; el marido es progreso de tradición y la mujer tradición de progreso.

Carrascal mira, sin responder ya, al *Simia sapiens,* que parece reírse, y luego al cartel de «Si no hubiera hombres habría que inventarlos», mientras el filósofo se enjuga, con frote trasverso, la boca.

Cuando don Avito llega a casa está su anti-sobrehombre besando en la garganta a Rosita, que se agita riéndose a carcajadas, bajo el cosquilleo de la caricia, mientras lo contempla desde un rincón, con sus tristes ojos de genio, Apolodorín.

Y en tanto entra doña Edelmira en el despacho de su marido.

–Vamos a ver, Fulgencio, qué demonios traéis aquí los dos encerrados las horas muertas y charlando de tonterías...

–¿De tonterías, mujer?

–¿Y de qué otra cosa más que de tonterías pueden hablar dos hombres solos que se están dale que le das a la sin hueso?

–Mira que tú...

–Sí, hombre, que yo entiendo muy bien de todo; te lo he repetido mil veces, hasta de tus extravagancias...

–Es que tú eres la excepción...

–No, la excepción eres tú, Fulgencio... ¿Cuánto va a que murmuráis de nosotras, las mujeres?

–¡Pero qué cosas se te ocurren!...

–Vamos, Fulge, séme franco, ¿a que estabais murmurando?

–Hablábamos de ciencia...

–Bien, vosotros los hombres llamáis ciencia a la murmuración...

–¡Pero qué cosas se te ocurren, Mira! ¡Y qué guapetona te conservas todavía!...

–Bueno, sí, te entiendo... Ahora me vienes con piropos para despacharme o para no contestarme... Vaya, deja eso, y ven a leerme un poco, y luego a coserme unas cosas en la máquina.

–Pero...

–No, hombre, no, nadie lo sabrá, no tengas cuidado. Anda, deja eso, hombre, déjalo.

Ocho

Ha corrido tiempo, Apolodoro ha crecido, y cree don Fulgencio que ha llegado por fin el día de dirigírsele directamente. No le conoce más que de vista, de rápidas inspecciones.

Es día miliar para el futuro genio. Espérale el maestro en su sillón de vaqueta, al pie del *Simia sapiens*, medio oculto tras un rimero de libros, en la misteriosa penumbra del despacho. Entra Apolodoro con el corazón alborotado y como viene de más claro ámbito, apenas ve nada, no más que, en la sombra, el rostro hierático de don Fulgencio, ribeteado por la leve luz cernida, con ojos que parecen no mirar, con el bigote lacio. El maestro contempla a este muchacho pálido y larguirucho, de brazos pendientes, como si, aflojados los tornillos, colgaran de los hombros, de labio superior recogido que le deja entreabierta la boca.

–¡Mi hijo! –exclama don Avito, tendiendo a él los brazos como quien muestra un género de mercancía.

–¡Nuestro Apolodoro! –añade con calma don Fulgencio, y como el muchacho calla–: ¡Bueno..., bueno..., bueno..., está crecido!

–¡Muchas gracias! –murmura Apolodoro sin moverse.

–Bueno, hombre, bueno –y el maestro se levanta para ponerse a pasear la estancia–, ¡siéntate!

–¿Y yo? –dice don Avito.

–Usted... mejor es que nos deje solos.

El padre se va al maestro y le aprieta efusivamente la mano, como diciéndole: «Ahí queda eso; trátemelo con mimo», y sin atreverse a mirar a su hijo, sale. Apolodoro se ha dejado sentar y espera con las piernas juntas y las manos sobre las rodillas.

–Bueno, hombre, bueno –y se detiene el filósofo un momento ante Apolodoro, le pone una mano sobre la cabeza, a lo que el mozo tiembla de pies a ella, le examina escudriñador, mientras los latidos del corazón sofocan al futuro genio, que mira al vacío–; bueno, hombre, bueno, ¿conque Apolodoro?, ¿nuestro Apolodoro?

El mozo se sofoca y el sofoco le trae el recuerdo del pobre conejillo de antaño; esa mirada le desasosiega en lo más íntimo.

–¡Pero hombre, di algo!

Y como un eco repite Apolodoro:

–¡Algo!

–¡Demonio de mozo, tiene gracia!

Y se sonríe el maestro.

El chico, repuesto ya algo, mira al *Simia sapiens*.

–Pero ¿no se te ocurre nada más, muchacho?

–¿Y qué quiere usted que se me ocurra, don Fulgencio?

–Hombre, como querer...

–Mi padre...

–Pues bueno, sí, ataquemos las cosas de frente. En primer lugar, que se te quite de la cabeza...

Detiénese el maestro; va a decirle que se le quite de la cabeza lo de ir para genio, pero al recordar que sólo aspirando a lo inaccesible puede cada cual llegar al colmo de lo que sea accesible, se lo calla. En esto asoma la cara plácida y sonrosada de doña Edelmira, orlada por su rubia peluca, y después de envolver al mozo en una de sus inquisitivas miradas de presa, dice:

–Fulge, haz el favor de salir un momento; enseguida vuelves.

–Mira, Mira, no me llames Fulge –dice el filósofo a su mujer, cuando no les oye el chico.

–Sí, te entiendo; no importa.

Y se quedan cuchicheando un rato. Entretanto, Apolodoro contempla en su memoria ese rostro sonrosado y plácido, aniñado, bajo la rubia peluca y sobre aquella figura corpulenta. Mira en derredor al *Simia sapiens* y al *Homo sapiens.* ¿Qué va a decir todo esto?

Entra don Fulgencio, se va derecho a su sillón, en el que se sienta, y luego de haber escrito en su cuadernillo esta sentencia: «El hombre es un aforismo», empieza:

–Querido Apolodoro: vienes iniciado ya, preparado a la nueva y grande labor que se te ofrece... *Ars longa, vita brevis,* que dijo Hipócrates en griego, y en latín lo repetimos... Voy a hablarte, sin embargo, hijo mío, en lenguaje exotérico, llano y corriente, sin acudir a mi *Ars magna combinatoria.* Eres muy tiernecito aún para introducirte en ella, a gozar de maravillas cerradas a los ojos del común de los mortales. ¡El común de los mortales hijo mío, el común de los mortales! El sentido común es su peculio. Guárdate de él, guárdate del sentido común, guárdate de él como de la peste. Es el sentido común el que con los medios comunes de conocer juzga, de tal modo que en tierra en que un solo mortal conociese el microscopio y el telescopio diputaríanle sus coterráneos por hombre falto de sentido común cuando les comunicase sus observaciones, juzgando ellos a simple vista, que es el instrumento del sentido común. Líbrate, por lo demás de mirar con microscopio a las estrellas y con telescopio a un infusorio. Y cuando oigas a alguien decir que es el sentido común el más raro de los sentidos, apártate de él; es un tonto de capirote, ¡Zape! –y sacude al gato, que se le ha subido a las piernas–. ¿Qué estudias ahora?

–Matemáticas.

–¿Matemáticas? Son como el arsénico; en bien dosificada receta fortifican, administradas a todo pasto matan. Y las matemáticas combinadas con el sentido común dan un compuesto explosivo y detonante: la *supervulgarina*. ¿Matemáticas? Uno..., dos..., tres..., todo en serie; estudia historia para que aprendas a ver las cosas en proceso, en flujo. Las matemáticas y la historia son dos polos.

Detiénese a escribir un aforismo y prosigue:

–Te decía, hijo mío, que no frecuentes mucho el trato con los sensatos, pues quien nunca suelte un desatino, puedes jurarlo, es tonto de remate. Una jeringuilla especial para inocular en los sesos todos un suero de cuatro paradojas, tres embolismos y una utopía, y estábamos salvados. Huye de la salud gañanesca. No creas en lo que llaman los viejos experiencia, que no por rezar cien padrenuestros al día lo sabe una vieja beata mejor que quien no lo reza hace años. Es más, sólo nos fijamos en el camino en que hay tropiezos. Y de la otra experiencia, de la que hablan los libros, tampoco te fíes en exceso. ¡Hechos!, hechos!, ¡hechos!, te dirán. ¿Y qué hay que no lo sea?, ¿qué no es hecho?, ¿qué no se ha hecho de un modo o de otro? Llenaban antes los libros de palabras, de relatos de hechos los atiborran ahora; lo que por ninguna parte veo son ideas. Si yo tuviera la desgracia de tener que apoyar en datos mis doctrinas, los inventaría, seguro como estoy de que todo cuanto pueda el hombre imaginarse, o ha sucedido, o está sucediendo, o sucederá algún día. De nada te servirán, además, los hechos, aun reducidos a bolo deglutivo por los libros, sin jugo intelectual que en quimo de ideas los convierta. Huye de los hechólogos, que la hechología es el sentido común echado a perder, echado a perder, fíjate bien, echado a perder, porque lo sacan de su terreno propio, de aquel en que da frutos comunes, pero útiles. Ni por esto te dejes guiar tampoco por los otros, por los del caldero de Odín. Son éstos los que llevan a cuestas a guisa de sombrero, como el dios escandinavo, un gran caldero, enorme molde de quesos, cuyo borde les da en los talones y que les priva de ver la luz; van con una inmensa fórmula, en que creen que cabe todo, para aplicarla, pero no encuentran leche con que hacer el queso colosal. Es mejor hacerlo con las manos.

Detiénese para escribir: «La escolástica es una vasta y hermosa catedral, en que todos los problemas de construcción han sido resueltos en siglos, de admirable fábrica, pero hecha con adobes», y prosigue:

–Extravaga, hijo mío, extravaga cuanto puedas, que más vale eso que vagar a secas. Los memos que llaman extravagante al prójimo, ¡cuánto darían por serlo! Que no te clasifiquen; haz como el zorro que con el jopo borra sus huellas; despístales. Sé ilógico a sus ojos hasta que renunciando a clasificarte se digan: es él, Apolodoro Carrascal, especie única. Sé tú, tú mismo, único e insustituible. No haya entre tus diversos actos y palabras más que un solo principio de unidad: tú mismo. Devuelve cualquier sonido que a ti venga, sea el que fuere, reforzándolo y prestándole tu timbre. El timbre será lo tuyo. Que digan: «suena a Apolodoro» como se dice: «suena a flauta», o a caramillo, o a oboe, o a fagot. Y en esto aspira a ser órgano, a tener los registros todos. ¿Qué te pasa?

–¡Nada, nada..., siga usted!

–Hay tres clases de hombres: los que primero piensan y obran luego, o sea, los prudentes; los que obran antes de pensarlo, los arrojadizos, y los que obran y piensan a la vez, pensando lo que hacen a la vez misma que hacen lo que piensan. Éstos son los fuertes. ¡Sé de los fuertes! Y de la ciencia, hijo mío, ¿qué he de decirte de la ciencia? Lee el aforismo –y le mostró el cartel que decía: «El fin del hombre es la ciencia»–. El Universo se ha hecho, fíjate bien, *se ha hecho*, y no ha sido hecho ni lo han hecho: el Universo se ha hecho para ser explicado por el hombre. Y cuando quede explicado...

Irradian los fulgurantes ojos del filósofo, y con tono profético continúa:

–¡La ciencia! Acabará la ciencia toda por hacerse, merced al hombre, un catálogo razonado, un vasto diccionario en que estén bien definidos los nombres todos y ordenados en orden genético e ideológico, órdenes que acabarán por coincidir. Cuando se hayan reducido por completo las cosas a ideas desaparecerán las cosas quedando las ideas tan sólo, y reducidas estas últimas a nombres quedarán sólo los nombres y el eterno e infinito silencio pronunciándolos en la infinitud y por toda una eternidad. Tal será el fin y anegamiento de la realidad en la sobre-realidad. Y por hoy te baste con lo dicho; ¡vete!

Apolodoro se queda un instante mirando al maestro y recordando tras él a doña Edelmira. ¿Qué es todo esto? Al salir, en la calle, al pie de la puerta, encuéntrase con dos viejas que hablan; la de la cesta dice a la otra: «Qué más da, señora Ruperta; para lo que hemos de vivir...». El mozo recuerda el «¡Qué mundo, Virgen Santísima, qué mundo!» de su madre, y los abrazos de ésta a su hermanita Rosa. Y luego se le representa esa muchachuela pálida, clorótica, a la que encuentra casi todos los días cuando va a clase de matemáticas, esa muchachuela que le mira con ojos de sueño. Y acuérdase en seguida cuando de niño vio a otros niños coger un murciélago, clavarle a la pared por las alas y hacerle fumar, y cómo se gozaban con ello.

–¿Bien, y qué? –le pregunta su padre con ansia cuando llega a casa.

El hijo calla y el padre se dice: «Este chico es una esfinge... ¿germinará?».

Acababa de conocer Apolodoro a Menaguti, el melenudo Menaguti, sacerdote de Nuestra Señora de la Belleza, o como su tarjeta de visita dice:

HILDEBRANDO F. MENAGUTI
Poeta

poeta sacrílego, entiéndase bien.

   –El amor, el amor lo es todo; toda grande obra de arte en el amor se inspira; no hay más tábano poético –Menaguti traduce *estro*– que el del amor; todos los trillamientos del alma –sabe que de *tribulare* vino «trillar»– del amor vienen; el amor es el gran principio *hipnótico* –aspirando la *h*–; la *Ilíada*, la *Divina Comedia*, el *Quijote* mismo y hasta el *Robinsón*, en el amor se inspiran, tácita o expresamente. Hay que hacer obra de amor, obra de arte; no hay más genio que el genio poético. Haz poesía, Apolodoro.

Nueve

¡**C**on qué ansia coge Apolodoro la cama por las noches! Son entonces sus auroras, las fiestas de su alma. Recógese al frescor de las sábanas, acurrucadito, como estuvo, antes de nacer, en el vientre materno, y así, en postura fetal, espera al sueño, al divino sueño, piadoso refugio de su vida y tierra firme en que recobra ganas de vivir. Antes suele leer de alguno de esos libros que le ha dejado Menaguti y que a hurtadillas de su padre se lleva consigo, y que esconde bajo la almohada. Al llegar a ciertos pasajes el corazón le martillea, y con la boca entreabierta, respirando anheloso, tiene que suspender durante un momento la lectura. ¿Es que luego sueña? Ni él mismo lo sabe desde que le hizo leer su padre una doctísima obra acerca del sueño, sus causas y sus leyes.

Espera al sueño y es su más dulce vivir el de esperarlo. El sueño es la fuente de la salud, porque es vivir sin saberlo. No sabe que tiene corazón quien le tenga sano, ni sabe que tiene estómago o hígado sino quien los tenga enfermos; no sabe que vive el que duerme. En el sueño nadie le enseña nada. ¡Pero no! Hasta el sueño, hasta el sueño le viene con ensueños, con pedagogía. ¿Dónde estará uno a salvo?, ¿dónde habrá un sueño sin ensueños e inacabable? ¡Qué sueño el de la vida!

Acuéstase casi todas las noches proponiéndose atrapar al sueño en el momento preciso en que le arranque de la vigilia, darse cuenta del misterioso tránsito; pero no hay miedo, siempre el sueño llegándole cauteloso y por la espalda, sin meter ruido, le atrapa antes de que él pueda atraparle y sin darle tiempo a volverse para verle la cara. ¿Sucederá lo mismo con la muerte? Piensa, y pónese a imaginar qué será eso de la muerte, aun cuando asegura su padre que no es más ni menos que la cesación de la vida; la cosa más sencilla que cabe. Para don Avito no hay tal problema de la muerte; eso es un contrasentido; la muerte es un fenómeno vital.

Ese enjambre de ideas, ideotas, ideítas, idezuelas, pseudoideas e ideoides con que su padre le tiene asaeteado van despertándole ensueños sin forma ni color, anhelos que se pierden, ansias abortadas. ¡Vaya un caleidoscopio que es el mundo! Pero un caleidoscopio que huele y que huele a perfumes que encienden la sangre, sobre todo en primavera y en la juventud. «Papá, ¿por qué huelen las flores?», había preguntado una vez, y su padre: «¡Para atraer a los insectos, hijo mío!». «¿Y para qué atraen a los insectos?» «¡Para que lleven el polen de unas en otras flores, las fecunden y den fruto!» Y «¿qué es eso de fecundar?»... ¿Qué le había contestado a esto su padre? No lo recordaba ya. Los libros que le prestara Menaguti sí que lo explican todo, lo hacen sentir. ¡Y pensar que su padre le privara de tales libros...! Poesía, dulce poesía, derretimientos de amor, suspiros y ternezas, crudezas a las veces.

¡Qué caleidoscopio es el mundo! Y todo con su rotulito a la espalda, por el otro lado, por el que no se ve, todo con su correspondiente explicación. ¡Vaya una ocurrencia que es el mundo!

¡Qué de cosas pasan en el campo, y qué de cosas pasan en la calle! Coches, carros, caballos, perros, con sus esqueletos dentro de la carne, hombres, mujeres..., ¡mujeres!, algunas altas, fuertes, carnosas, corpulentas, de sangre caliente, con corazón y entrañas, con alto seno que al andar les tiembla, y algunas ¡cómo miran al muchachuelo!, ¡cómo huele el mundo!

Hoy en que ha ido a recibir la palabra de don Fulgencio se ha colado al encontrar abierta la puerta, deteniéndose a la entrada del santuario. Esto está mal hecho, pero... don Fulgencio, ¿era él?, tenía junto a sí a doña Edelmira, ciñéndole con un brazo el robusto talle, acariciándole con la mano del otro brazo la barbilla. La madurez de la venerable matrona respiraba juventud; relucía su peluca.

–Tú, tú sola has creído en mi genio, Mira –y la atraía a sí.

–Sí, un genio tan bueno, tan pacífico, tan complaciente...

–Pero, ¡qué cabellera de oro!

Y le pasaba la mano por la peluca.

–¡No seas burlón! –contestaba ella, ruborizándosele la frente.

–¿Burlón?, ¿qué, es postizo?, ¿y qué?, ¿no somos nosotros mismos postizos y quitadizos?

Y le ha dado un beso.

–¡Treinta años, Fulge, treinta años!

–¡Treinta años, Mira! –y la ha abrazado, añadiendo–: ¿te acuerdas?

Lo demás no ha podido oírlo Apolodoro porque doña Edelmira se ha levantado de pronto, exclamando: «¿Quién anda ahí?», y ha entrado él enteramente confuso. Así es que el maestro no ha dado hoy pie con bola, y ahora se sueña Apolodoro con doña Edelmira.

Le tiene encargado su padre que le ponga por escrito su concepción del universo, y por más vueltas que le da a la cosa en la cabeza, nada sale. En primer lugar, ¿tiene acaso concepción alguna de semejante universo? ¿Concebirlo? ¡Si es que apenas empieza a olerlo!

Y allá va, puesto que está tan buena la tarde, preocupado con lo de la concepción, camino del río, a la alameda. Es un día sereno y tibio de primavera; ábrese al sol cual verde plumoncillo el naciente follaje de los álamos; sonríe el río; está terso el océano del cielo, sin más que ligera espuma de nubes al occidente; sustancioso y henchido de aromas el aire. Siéntase el mozo en el césped; ciérnense vilanos por el aire. Al otro lado del río, la ciudad, con sus torres y chapiteles, cual inmensa floración de piedra, primaveral también, refléjase en el espejo tersísimo de las mansas aguas, así como el bruñido azul de que se destaca, y de tal modo se reflejan que parece continuarse el cielo en el río y que es la desdoblada imagen de la ciudad friso en mármol cerúleo burilado, esmalte sin bulto. Es un libro abierto. Y recuerda cuando de niños cogían cabezas de moscas y las aplastaban en un papel doblado para obtener una figura simétrica, el principio del caleidoscopio. Y mira los álamos reflejados en las aguas y recuerda los versos de Menaguti:

> En el cristal de las fluyentes linfas
> se retratan los álamos del margen
> que en ellas tiemblan,
> y ni un momento a la temblona imagen
> la misma agua sustenta...[1]

El alma de Apolodoro se vierte y empapa en esta visión; no se siente respirar; no tiene el hermoso esmalte inscripción alguna a la trasera, en el lado que no se ve, ni siquiera tiene, por no tener, semejante invisible lado. ¡Qué sueño, qué dulce sueño!, ¡qué sueño con los ojos abiertos y abierta el alma a la visión de primavera!

De pronto ahora le llama el corazón con un latido, vuelve la cabeza, y tras la ráfaga de esos ojos sólo ve dos trenzas rubias que por la espalda le caen, como dos ramas de un árbol florecido, y abajo el arranque del tronco. El pobre corazón le toca a rebato, ¿qué es esto? De vuelta a casa se pone a escribir fe-

---

1. Pertenece al poema de Unamuno «La elegía eterna», incluido en su libro *Poesías* (1907).

brilmente su concepción del universo, pero tiene que suspen-
derla, para escribir versos.

–¿Versos?, ¿versitos, hijo mío? –exclama su padre al sor-
prendérselos, y como él calla añade–: Como ensayo, para
probar de todo..., ¡pase!

–¿Es que no hay genios poetas?

–Los había, hijo mío; los había cuando las gentes apenas se
fijaban más que en lo que se les decía en verso; pero el genio
moderno no puede ser más que sociólogo, y la poesía es un
arte de transición, puramente provisional... Y tu concepción
del universo, ¿cómo va?

–Poco a poco, padre.

Mas todo recato es inútil; don Avito sorprende al cabo libros, grabados, papeles, dibujos, y se queda perplejo. Y es
Marina, la madre, la pobre Materia soñolienta, la que entre
sueños dice un día:

–Eso es que el chico está enamorado.

–¿Enamorado?, ¿mi hijo enamorado? ¡No digas disparates!
No puede ser... –Y como la pobre madre sonríe triste y silenciosa, añade el padre–: ¿Es que sabes algo?

–Yo, no.

–¿Entonces?

–¡Bien claro se ve!, ¿qué otra cosa va a ser?

–¡Lo verás tú... en soñación! ¡Vaya un desatino! ¡Iba a atreverse a enamorarse a su edad?, ¡si apenas es púber!...

Y la voz del demonio familiar: «Caíste, y como tú caíste,
caerá él, y caerán todos, y estaréis cayendo sin cesar». Y da en
cavilar, y acaba por convencerse de que hay algo, y resuelve
reñir la más ruda batalla para salvar al genio. Y siente un momentáneo acceso de indignación contra Marina, que se le ha
adelantado en descubrir el secreto, que ha dado a luz un hijo
capaz de enamorarse tan joven, que le enamoró a él mismo
antaño. ¡El amor!, ¡siempre el amor atravesándose en el sendero de las grandes empresas!, ¡qué de tiempo no ha hecho
perder a la humanidad ese dichoso amor! Es inevitable, tal

vez, ¡herencia materna!, ¿no se enamoró acaso de él Marina?, ¿no sigue, después de todo, y bien consideradas las cosas, enamorada todavía?

Fáltale tiempo para ir a ver a don Fulgencio.

–¡Se ha enamorado!

Y cuando espera otra cosa, oye la voz flemática del filósofo, que dice:

–¡Es natural!

–Natural, sí; pero...

–¿Pero... qué?

–¡Que no es racional!

–La naturaleza supera a la razón.

–Pero la razón debe superar a la naturaleza.

–Sale la razón de la naturaleza.

–Pero debe la naturaleza entrar en razón.

–Es el Hado –replica secamente don Fulgencio, molestado por la contradicción que ahora le hace don Avito.

–¿Y contra el Hado?

–¡El Hado mismo!

–¡Se ha enamorado!, ¡se ha enamorado!, ¡se ha enamorado! No vamos a tener genio...

–¿Es que los genios no se enamoran?

–No, los genios no pueden enamorarse.

–Y además, quítesele de la cabeza lo de hacerle genio; harto haremos con que se nos quede en talento.

–¡Se ha enamorado! Y ahora, ¿qué hace la pedagogía?

–Pero entendámonos, amigo Carrascal; ¿el mozo está enamorado abstracta o concretamente?

–No le entiendo.

Y abre los ojos en espera de algo estupendo.

–Quiero decir si está enamorado de una muchacha o mujer determinada, individual y concreta, o si está enamorado tan sólo de la mujer en abstracto.

–¿En abstracto?

Y se queda Carrascal como quien ve visiones.

–En abstracto, sí. El amor, amigo don Avito, no es nomina-
lista, sino realista; no sube de lo concreto a lo abstracto, sino
que baja de lo abstracto a lo concreto; es más platónico que
aristotélico, empieza por enamorarse de la mujer, y en cada
individuación de ella no ve más que el género; sólo más tarde
parece concretarse... Parece, sí, porque en realidad sólo se
concreta en las pasiones heroicas, en las históricas, en las que
han pasado a la leyenda, porque en ellas se concreta en absoluto lo abstracto: Julieta, Beatriz, Dido, Isabel de Segura, Car-
lota, Manon Lescaut, son concretos-abstractos.

«¡Qué lío!», le dice a Carrascal su demonio familiar, y ya en
la calle, se dice: «¡Se ha enamorado!, ¡se ha enamorado! ¿Y si
este amor se concreta?».

Diez

Y se ha concretado al fin el amor de Apolodoro. Ha sido en casa de su maestro de dibujo, donde acude, con otros mozos, a perfeccionarse.

El bueno de don Epifanio, gran artista fracasado según muchos, ha llegado a cobrar hondo cariño al mozo. Mientras le corrige el dibujo, suele decirle:

—Hay que vivir, Apolo, hay que vivir, y lo demás son lilailas.

No agradan mucho a don Avito las peculiares ideas, o según él no ideas, *anideas,* de don Epifanio, pero acaso estorben las ideas para enseñar dibujo. Y transige. ¡Lleva tanto transigido ya!

Alguna vez, al salir o entrar en el estudio, al que se pasa por las habitaciones privadas del maestro, ha visto Apolodoro pasar, semiflotante, sin hacer ruido, por la penumbra, una visión de doncella. Otra vez ha descubierto, por una puerta entreabierta, allá en el fondo, junto a un balcón cerrado, envuelta en la mansa luz que los visillos tamizaban, una figura encorvada sobre la blanca labor, algo como eternizado en cuadro de ingenua mano, cosa no de bulto, algo como la flor de aquel ámbito de doméstica penumbra, tranquila violeta de hogar. La luz ribeteaba con luminosa franja los contornos de su rostro, que cual emplomada pintura de vidriera se mostraba, su entreabierta boca parecía orar en silencio, mientras el inclinado seno se le alzaba y bajaba con lento ritmo. Apolodoro se enajenó en la visión.

Y ahora sale Clarita a abrirle la puerta, con una sonrisa desintencionada, con juguetones ojos, ¡qué ojos!, ¡qué ojos tan persuasivos, tan sugestivos, tan educativos, tan pedagógicos!, ¡viviente invitación a la vida, constante lección de sencillez y de amor! Balbuce Apolodoro sus buenos días y se ruboriza ella al oírle balbucir:

–¡Pase usted, Apolodoro, pase usted!

«¡Que pase!, ¡oh, que pase! ¡Qué música de palabras!, ¡qué talento de muchacha!, ¡qué evolutiva!, ¡qué subconciente!, ¡qué inmanente!, ¡qué trascendente!, ¡qué integral!, ¡qué cíclica! ¡Que pase, oh, que pase! En estas palabras se resume todo. ¡Ciencia pura! ¿Ciencia? Algo más, sobreciencia. ¡Algo más aún! ¿Algo más?» Y entra Apolodoro tropezando, y al tropezar le roza la mejilla un rizo de la muchacha, pámpano de aquella vid de hogar, y siente luego el mozo comezón allí, y más tarde, a solas, bajo el latido del corazón, se lleva los dedos al punto del roce y los besa y hasta se los lame.

Pero ¿de dónde le sale esta súbita resolución tan poco pedagógica, aunque tan genial? Se le altera la sangre; muda de piel espiritual y brota en él un nuevo hombre, el hombre. Emprende ahora su corazón un galope, y este galope le echa a la cabeza un ataque de amor. Sí, son ataques, estallidos de amor, de amor lancinante, accesos que le sobrecogen en cualquier parte, con la amorosa imagen chorreando vida. Sí, «hay que vivir, hay que vivir y lo demás son lilailas», lo dice el padre de la vida. Ya tiene Apolodoro con qué hacer sus furtivas escapatorias al triste jardín del deleite. Se le abre el mundo.

–Es menester que te penetres bien de la importancia de la ley de la herencia –le dice don Avito.

–Sí, padre, la estoy estudiando.

–Pero a fondo.

–¡Qué mundo, Virgen Santísima, qué mundo! –suspira la Materia.

Y espía Apolodoro el momento, que ha estado a punto de lograr hace poco, pero habiéndosele desvanecido Clarita, con su sonrisa a que hace de amoroso ámbito el hogar. Porque este hogar, ¿es una difusión de su sonrisa, o es acaso ésta una concentración del hogar? Algo barrunta, sin duda, la doncella, pues sus ojos miran más hondo y sus labios se entreabren más al ver a Apolodoro.

¿Y don Epifanio? Algo debe de saber también, porque, ¿no da otro tono a sus plácidas sentencias? ¡Qué sentencias! ¡Qué talento de hombre!, ¡haber sabido hacer esta hija! Un talento inconciente, es decir, genial. ¿Cómo va a comparársele don Fulgencio? ¡Para aforismo y *Ars magna* y filosofía rítmica sobrehumana, Clarita! «¡Ésas son teorías!», como dice con resignación el padre, don Epifanio.

¡Por fin!, ¡qué trote el del corazón! No le deja oírse, no le da respiro, le ahoga. Y Clarita, también suspensa, anhelante, espera el parto del solemne silencio.

–Clarita…, Clarita…, haga el favor…, lea esto –y deslizándole la carta, entra al estudio.

–Vamos, hombre –le dice, ¿con sorna acaso?, don Epifanio–; parece que vienes sofocado… No hay que correr, Apolo, no hay que correr; al paso se llega antes… Anda, acaba esa pierna y no le pongas tan duras las sombras.

Y hoy, transcurrido de esto un día, parece que la casa toda, el colgador del pasillo, los grabados, que todo se le esfuma en torno a ella; todo su cuerpo, su aire, su aliento, son una anhelosa pregunta.

–Bueno, ¿qué me dice usted?

–¡Que… sí!

¡Oh, se siente genio!

–¡Gracias, Clarita, gracias!

–¿Gracias? ¡A usted!

–¿Usted?

–A...

–A ti –y entra triunfador y resuelto.

Entra en la vida. Los amorosos ataques irán cesando, convirtiéndose en continuo e incesante hormigueo crónico.

En cuanto a Clarita, ya tiene novio como las más de sus amigas, y ahora va a saber qué es eso y de qué hablan los novios y qué se dicen. Tiene ya novio, es mujer.

El Amor, como niño que dicen que es, enseña a Apolodoro una infantil astucia, y es que se haga amigo de Emilio, el hermano de Clarita, y entre así más dentro de la casa. Y don Epifanio como si no lo viese; pero en la mesa, al tiempo de comer:

–¡Vaya con Apolo! ¡Vaya con Apolo!

–Es algo raro –dice Emilio.

–¡Psé!, cada cual es como le hacen y cada uno con su cadaunada...

–¡Si vieras qué cosas le decía su padre la otra tarde!...

–¡Filosofías! ¿No comes más de eso, Clarita?

–No, no tengo ganas.

–Por tu cuenta, allá tú, pero sin comer ni...

–El otro día me estuvo hablando de dónde venimos y a dónde vamos... ¡qué se yo!

–¡Psé! De alguna parte vendremos... ¡Déjate de eso!

–¡Y lee unas cosas!

–¡Bah! Ganas de perder el tiempo que nos dio Dios para ganarnos la vida.

Y Apolodoro va metiéndose en la casa y empieza a hacer, a excusa de su amistad con Emilio, largas estancias en ella, mientras parece decirse don Epifanio: «¡Qué le hemos de hacer!», y don Avito se dice: «¡Pero dónde se mete este muchacho...!», y Marina no dice nada.

¿Y de noche, en estas noches de invierno? La roja lumbre del hogar enciende el ámbito en rubor reflejándose en el fuelle, en las tenazas; Clarita ante las llamas que danzan retira con la mano los vestidos para que no se caldeen, y asoman los

fuego y hogar
la pasión y lo que
hacemos en
el contexto
cultural

sensualidad

piececitos; la lumbre le enciende la cara, y resbala por ella, por su tez cual pellejo de albaricoque, de dulce albaricoque de estufa, con su pelusilla para coger y cerner luz. Y los ojos, unos ojos hechos tan sólo para mirar tranquilos. ¡Oh, qué animal! ¡Qué gracioso animal doméstico esta muchacha! Una gatita sobona, runruneante, pegajosa, silenciosa... ¿Y cuando habla? ¡Qué hermosas simplezas dice! Sobre todo cuando pueden cruzarse la palabra a solas, un momento en el zaguán.

–Hoy te he visto, Apolodoro.

«¡Hoy me ha visto! ¡Que me ha visto hoy! ¡Pero qué buena es este ángel de Dios! ¡Hoy me ha visto, me ha visto con esos ojos sin mancha; hoy he estado en ellos, chiquitico, patas arriba, acurrucadito en las redonditas niñas de sus ojos virginales!» Y al retirarse se dice: «No he estado bastante tierno, no le he dicho lo que pensaba decirle... Volveré... Estoy por volver a decírselo... ¡Mañana!... ¡Mañana!». Y es siempre mañana y ciérnese siempre lo más tierno, lo inefable, en el silencio, sobre el gorjeo del amor.

Emilio, por su parte, se da aires de protector, parece estar diciendo de continuo a su hermana con actitud: «Mira, que sé tu secreto», mas a la vez empieza a pensar que esto no está bien, que no es serio ni formal, que hay que decir algo a los padres. ¡Andar así cuchicheando, a hurtadillas, en el zaguán y en las escaleras! Y ¡qué tontos son estos novios! ¡Qué babosos!

«Pero ¿qué es esto? ¿Qué le pasa a mi hijo? –piensa don Avito–; parece otro... ¿estará sufriendo alguna enfermedad de la personalidad? ¿Tendrá alguna honda perturbación en la cenestesia? ¿Estará de muda? ¿Tendrá la solitaria? ¿Le estará entrando alguna monomanía? ¿Será la incubación del genio? ¿Estará en el momento metadramático, en el instante de la libertad, próximo a parir su morcilla? ¿Se le estará concretando el amor?» Y el demonio familiar le repite: «Caíste, caíste, y como tú caíste cae él ahora y volverá a caer y caerán los hombres todos».

Y Apolodoro siente de noche, en la cama, como si se le hinchase el cuerpo todo y fuera creciendo y ensanchándose y llenándolo todo, y, a la vez, que se le alejan los horizontes del alma y le hinche un ambiente infinito. Empieza la Humanidad a cantar en él; en los abismos de su conciencia, sus pretéritos abuelos, muertos ya, canturrean dulces tonadillas de cuna a los futuros nietos, nonatos aún. Revélase la eternidad en el amor; el mundo adquiere a sus ojos sentido, ha hallado sendero el corazón, sin tener que galopar a campo traviesa. El ruido de la vida empieza a convertírsele en melodía; medita, comprendiéndolo ya, en aquello de los juicios sintéticos y de las formas *a priori* de Kant, sólo que el único juicio sintético *a priori*, el interno ordenador del caos externo, es el amor. Toca la substancialidad de las cosas, su tangibilidad por el tacto espiritual; le es ya el mundo de bulto, macizo, sólido, con contenido real. Esto es lo único que no necesita demostrarse, que se demuestra por sí; mejor dicho, que no se demuestra, que es indemostrable. Esto no es teatro, diga lo que quiera don Fulgencio; ha entrado al escenario de la infinitud, de la inmensa realidad misteriosa que al teatro envuelve.

Y ¡qué lumbre! ¡Qué lumbre se le ha encendido en el corazón! ¡Cómo alumbra su propio hogar! ¿Hogar? «¡Pobre padre! –le dice su demonio familiar con voz tenue, mostrándole su hogar a la nueva luz–. ¡Pobre madre!» ¿Por qué es, por qué cogiéndole hoy su pobre madre, la soñadora, cogiéndole en brazos le ha dado un beso, sollozando: «¡Luis, mi Luis, Luis mío, Luis!...». Un beso intempestivo, ilógico, sin ilación, un beso que ha arrancado lágrimas a madre e hijo.

–¡Oh, tu padre! –ha exclamado la Materia, despavorida al oír un rumor.

Y aquí entra don Avito, diciendo:

–Se habla de un ingeniero industrial que ha descubierto la trisección del ángulo...

Esta noche sorpréndese Apolodoro con que las oraciones que de niño anidara en su memoria la madre le revolotean en

torno a la cabeza, rozándole los labios a las veces con sus te-
nues alas. Y tras un «¡Pobre padre!» susurrado mentalmente,
encuéntrase con el padrenuestro en la boca.

Y piensa en su madre y se le va el alma al pensar en ella. Y
bajito, muy bajito, en silencio casi, le susurra al oído del alma
el demonio familiar: «¿No has notado cómo se parece Clarita
a tu madre?».

Once

Once

Con la invasión del amor ¡qué marea de melancolía! Es un sentir la vida como un derretimiento, es un soñar en dormirse para siempre en brazos de Clarita.

Va de paseo a orillas del río; de los blancos álamos nievan aladas semillas, copos de vida. Y ve que se agolpan las gentes a contemplar algo. Es que va flotando en las aguas, llevado por la corriente, un hombre muerto. Parece dulcemente dormido, mecido por las ondas suaves. Va a posarse sobre él una de las mullidas simientes de los álamos.

«El hombre vivo va al fondo, muerto flota –piensa Apolodoro, y empieza al punto a cavilar, con la sangre paterna, en el principio de Arquímedes–; pesa ahora menos que el agua..., peso específico menor que cero; de vivo pesaba más que ella, por encima de cero... Luego la vida pesa..., la vida pesa y la muerte aligera... ¡Duerme! Duerme...»

> Duerme, niña chiquita,
> que viene el Coco
> a llevarse a las niñas
> que duermen poco...

¡Pobre madre!... «Ya te tengo dicho que no le cantes esos desatinos, que no le mientes al Coco, ¡Marina!...» Ésta es la letra, letra paterna, mientras la música, música materna, va cantándole por debajo: «Vida..., sueño..., muerte..., muerte..., sueño..., vida..., vida..., sueño..., muerte..., muerte..., sueño..., vida...».

«¿Y si esa alada simiente posara en él y en él prendiese y fuera flotando el cuerpo por el océano, isla errante, llevando plantas? La circulación universal..., *omne vivum ex ovo...*, *ex nihilo nihil fit...*, el círculo vital..., transformación de materia y fuerza..., conservación de la energía...

> Duerme, niña chiquita,
> que viene el Coco...

lo Inconocible..., lo Inaccesible...»

–Es un espectáculo bien poco artístico.

Vuélvese y se encuentra de manos a boca con Federico. Reprime un gesto de impaciente, porque le inquieta y desasosiega este Federico, sonriente siempre, pero con sonrisa de máscara.

–¿Usted por aquí, por el campo, Federico, usted?

–¡Psé! De vuelta de una visita. Además, conviene verlo de vez en cuando para mejor apreciar luego los encantos únicos de la ciudad, única morada digna del ser racional, pues el campo lo es del animal humano.

Apolodoro procura distraerse; no puede resistir la roja corbata de Federico, esponjosa e hinchada, que le revienta del cuello.

–Algún melancólico –dice Apolodoro, como hablando consigo mismo–, monomanía..., lipemanía...

–No –contesta Federico–, alguno a quien aterraba la muerte.

–¿Pues cómo?

–Se entregó a ella, sin duda, porque la odiaba, como se entregan a la mujer algunos hombres...

paradoxes

–¡Paradojas!

–¡Tal vez! Sólo se suicida el que odia a la muerte; los melancólicos enamorados de ella viven para gozar en esperarla, y así, cuanto más tiempo la esperan, más tiempo gozan, y el melancólico es ante todo y sobre todo un sensual, un... ¡cuerpo de Baco, qué crimen!

–¿Cuál es el crimen? –y se vuelve Apolodoro.

Pasa un joven dando el brazo a una muchacha cuyos ojos, fijos en él, parecen flores de vida. Apóyase la muchacha perezosamente en su hombre.

–¡Qué chica más hermosa era! –exclama Federico.

–Y lo es.

–Ya no; ha perdido la virginal inmadurez; ese bárbaro la ha hecho fructificar... ¿Ve usted ese talle? Eso es un crimen, un crimen que debiera castigarse...

–Pero si es su marido...

–Eso es un crimen, digo. Hay que restablecer las vestales y que quemen de continuo incienso en el altar de Citerea... ¡Bárbaro!

–Pero si es un excelente sujeto...

–Todo el que se apodera y hace dueño de una mujer hermosa es un bruto. Una belleza debe ser el *noli me tangere,* el «mírame y no me toques» del vulgo; es para los ojos tan solo.

–No pensaba usted así...

–Hace tres días, ¿no es eso? ¡Exacto! Las ideas duran como las corbatas, hasta que se gastan o pasan de moda.

Apolodoro se queda mirándole a la insolente corbata.

–El otro día conocí al fin a su padre de usted, a don Avito. Es un sujeto interesante. Le felicito...

Siente Apolodoro que algo así como una bola le tapona el gaznate, y le entran ganas de arrancar a Federico la corbata y de tirársela al río.

–Sus concepciones pedagógicas ofrecen tanto atractivo como las concepciones opuestas... Eso de la pedagogía no ha entrado aún en un campo verdaderamente experimental, aunque, por lo visto, algo ha intentado en tal sentido su señor padre de usted.

Y como Apolodoro calla, dice de repente Federico:

–¿De modo y manera que *queremos* a Clarita?

–¿Queremos? –preguntó Apolodoro al notar que el otro recalcaba la palabra.

–Queremos, sí.

–Pero es que *queremos*...

–Es primera persona del plural del presente de indicativo, plural de yo, según dicen, aunque no veo por qué ha de ser más plural de yo que de tú, puesto que se trata ahora de usted, que es un tú, y de mí...

–Los dos somos yos...

–Y los dos tús.

–Sin duda.

–Luego si por una parte es usted un yo y yo otro yo, y por otra parte usted es un tú y yo otro tú, resultamos ser los dos yo y tú a la vez. Bien dijo el filósofo que todo es uno y lo mismo. De donde resulta que *queremos* los dos a Clarita.

–¿Queremos?

–¡Sí, la queremos usted... y yo!

–¿Y usted?

–¡Sí, yo!

–¿Usted?

–Sí, yo; y la cosa es clara, amigo Carrascal. Usted la quiere, yo la quiero, ella es querida por los dos y decide entre ambos...

–Pero...

–Sí, hombre, sí, que no reconozco aquí el derecho de primer ocupante o pretendiente a ocuparla, y que aspiro también, como usted, a la posesión de Clarita. Simple cuestión de concurrencia.

–Es que...

–Es que no tienen usted y ella celebrado ningún contrato y no sé por qué, aunque estén ustedes en relaciones, no he de intentar yo romperlas.

–Pero, ¿en tal concepto la tiene usted?

–Hombre, usted me es útil, me ha preparado el terreno, la ha aficionado a tener novio, es mi precursor...

–¿Y sería usted capaz de estropearla, si llegase el caso? –exclama de pronto, como por súbita inspiración, Apolodoro.

–¡Bah! Esa obligación del respeto a las vírgenes hermosas sólo reza, como tantas otras cosas, con los demás...

«Pero, ¿por qué no le pego? –piensa Apolodoro–. Debo pegarle... ¿Y para qué..., para qué...? Papá dice que no hay por qué ni para qué, sino cómo... Y ¿cómo le pego?»

–Quedamos, pues, amigo Apolodoro, en que la queremos los dos y será menester que ella se decida por uno...

«¿Por quién me tomará este hombre?»

–Bueno, que decida ella...

–Es sin duda la posición más despejada y más gallarda. Además, si se decide por mí dejándole a usted, en tal caso, claro está, no merece que usted se inquiete ni lo tome a pechos, porque una novia que deja así a su novio, sin más que por atravesarse otro en el camino... Pero ¿en qué piensa usted, amigo Carrascal?

–¡Ah, es verdad! ¿Decía usted?

–Hombre, bien podía su padre, que tantas otras cosas le ha enseñado, haberle enseñado educación.

–¿Educación?

–Sí, educación. ¿No sabe usted lo que es?

–No ocupa puesto en la clasificación genética de las ciencias.

–Pero qué guasón está usted...

–¿Guasón? No sé lo que es eso.

–¿Y usted pretende a Clarita?

«Pero ¿por qué no le pego..., para qué no le pego..., cómo no le pego...?» Y llegan así a la entrada de la ciudad.

–Conque quedamos en remitir a ella el pleito y que lo decida, ¿no es eso? ¡Y tan amigos! Hasta más ver.

¡Qué laxitud!, ¡qué enorme laxitud!, ¡qué ganas de derretirse con la ciencia toda acumulada en su cerebro! «Y toda esta ciencia, cuando yo muera y mi cerebro se descomponga bajo tierra, ¿no se reducirá a algo? ¿En qué forma persistirá? Porque nada se pierde, todo se transforma... Equivalencia de fuerzas... ley de la conservación de la energía... ¡Ay, Clarita, mi Clarita! ¡Qué vida ésta, Virgen Santísima, qué mundo! Y todo, ¿para qué?, ¿qué más da? Ese Federico, ese Federico..., ¿habrá querido burlarse de mí?, ¿llevará a cabo sus propósitos?, ¿la pretenderá? Pero ella no me dejará, no puede dejarme, no debe dejarme, no quiere dejarme... ¿Me quiere? ¿Hay modo de saber cuándo una mujer nos quiere? ¿Quiere de veras una mujer? ¿Me quiere? Ese Federico..., ese Federico...»

–Luis, Luis mío...

–¿Mamá?

–La he visto, la he conocido, Luis, la he conocido... Me gusta.

–¿Te gusta?

–Sí, Luis, me gusta... Aquí está papá, Apolodoro.

Y Apolodoro se retira a trabajar en un cuento largo o pequeña novela, sentimental y poética, que trae entre manos, porque le ha entrado, a despecho de su padre, una gran comezón por ser literato, puro literato, no pensador, ni filósofo, ni sociólogo, sino poeta, aunque sea en prosa, y cuenta las angustias de un primer amor y lima y acaricia la forma que quiere salga amorosa y dulce al oído, y se esmera en los remates psicológicos, y a tal propósito analiza sus propios sentimientos y va ya a sus entrevistas de amor con una finalidad artística. Empieza a amar para hacer literatura, y ha erigido dentro de sí el teatro y se contempla y se estudia y analiza su amor.

«Porque..., vamos a ver; después de todo, ¿no me aburro con Clarita?, ¿no es estúpida la conversación que me da?, ¿tiene acaso algún ingenio la pobre muchacha?, ¿dice más que gansadas y vulgaridades? La quiero por inercia, por hábito; soy una víctima del amor. Sé todo esto, pero así que me encuentro a su lado, lo olvido ya y no discurro. Y en cuanto a guapa..., no, no es guapa; es como tantas otras... Pero, sí, ¡es la más guapa! ¿No será que me he acostumbrado a su cara?»

Doce

¿**N**o está hoy Clarita displicente? ¿No se distrae sin motivo justificado? Contesta, no a lo que Apolodoro le pregunta, sino a lo que ella cree que le iba a preguntar, y aunque esto sea genuinamente femenino, ¿no indica algo? Mas no se puede hablarle de Federico, ni siquiera dejarle presumir que se presume algo. Y don Epifanio mismo, ¿no parecía hace poco con cara de pocos amigos? Hay que redoblar la ternura.

–Tú, tú eres la verdadera Pedagogía, mi pedagogía viva, mi pedagogía –y se le acerca.

–No me pongas ese nombre tan feo...

–¡Es verdad, Clara, mi Clara, Clarita!

Silencio. «Pero ese Federico...», piensa Apolodoro, a quien saca de su ensimismamiento este disparo:

–¿Oyes misa, Apolodoro?

–Como tú quieras, Clarita –y al decirlo álzansele las figuras de su padre y de don Fulgencio, como los nubarrones, sobre la conciencia.

–Como yo quiera..., como yo quiera, no... ¿La oyes?

–Pues no, no la oigo; pero la oiré –y piensa: «Acaso oyéndola disipe a Federico...».

–¿Rezas por las mañanas al levantarte, y al acostarte por las noches?

–Rezaré.

–Pero tu madre...

–Mi madre no es nadie en casa...

–Debes ir a ver a don Martín. No te quiero judío...

–Es que...

–Es que no te quiero judío.

–Bueno, Clarita; pero mira...

–¿Irás a ver a don Martín?

–¿Para que me convierta?

–¿Irás a ver a don Martín?

–¿Pero para qué?

–¿Irás a ver a don Martín?

«¡Qué irracional es una mujer!», piensa, y en voz alta:

–Iré a ver a don Martín.

–¿Conque irás a ver a don Martín?

–Sí, mujer, sí. Iré a verlo.

–Bueno. Así te quiero.

–¿Así me quieres? ¿Me quieres así? ¿Me quieres? ¿Me quieres, di, me quieres? No bajes los ojos. Vamos, Clarita, sé buena. ¿Me quieres?

–Ya lo sabes...

–Ya lo sabes, no. ¿Me quieres?

–Pero, hombre, eso no se pregunta.

–Sí, se pregunta; se pregunta eso. Te he prometido ir a ver a ese don Martín. Di, ¿me quieres?

–Pues bueno, sí.

«Pues bueno, sí... Este "sí" con ese "pues bueno"... Ese Federico... ese Federico...»

Sepáranse, y apenas separados se pone Clarita, cándidamente, a contestar a Federico. Y piensa: «Me gusta ese chico y presenta la cuestión muy clara; quiere que despache a Apolodoro para tomarle a él. Apolodoro, ¡pobrecito! ¡Es tan bueno, tan infeliz! ¡Me quiere tanto! Y yo ¿le quiero? Y ¿que es eso de querer? ¿Que será eso que llaman querer? No, no está bien hecho despacharle así, después de haberle admitido, pero... ¿por

qué no está bien hecho? Ellos nos dejan por otra cuando esta
otra les gusta más; ¿hemos de ser nosotras menos que ellos? Y
el otro, ¿me gusta más acaso? A papá creo que no le hace mucha gracia Apolodoro, le parece algo estrafalario, pero... ¡es
tan bueno!, ¡tan infeliz!, ¡me quiere tanto! Federico es más
elegante, parece más listo, es menos raro, es más... En fin, allá
ellos, que lo arreglen; le diré a Federico que sí y que no, que
estoy comprometida, pero que no estoy comprometida, y no
le daré esperanzas ni se las quitaré tampoco. Y luego que ri-
ñan ellos y a ver quién puede más; que será Federico, de seguro... Me parece más hombre». Y contesta a Federico unas
cuantas ambigüedades que le esperanzan.

Y el pobre Apolodoro quiere ser algo; quiere ser algo por
ella y para ella, y trabaja en tanto en su novelita. Tras horas de
meditación, se levanta desesperanzado, diciéndose: «Jamás
seré nada». Y al salir de su cuarto ve pasar la imagen de su
madre con un suspiro mudo en los labios y la indiferencia del
estupor crónico en los ojos.

«Voy esta noche a provocar una escena que me hace falta,
la escena en cuya descripción estoy atascado... No puede du-
darse de que una novia, aparte de otras cosas, es un excelente
sujeto de experimentación literaria. Tiene razón Menaguti,
los grandes amores tienen por fin producir grandes obras
poéticas; los amores vulgares terminan en hacer hijos; los
amores heroicos, en hacer poemas, o cuadros, o sinfonías. Veremos esta noche.»

He aquí la noche, y Apolodoro, en el portal, se siente más
osado, atrayéndole su novelita por delante mientras la sombra de Federico le empuja por detrás. Empieza el corazón a
martillearle la cabeza, coge a Clarita y de buenas a primeras la
abraza, dejándose ella hacer. «Estoy conquistador, resuelto,
masculino.»

–¿Me quieres?

–Ya lo sabes; pero déjame..., déjame...

Y apretándola contra su pecho, con voz sofocada:

–Ya lo sabes, no; ¿me quieres?

Se le escapa a ella un sí.

–¿Sí, nada más?

–Pues ¿qué quieres que te diga? Pero déjame..., déjame...

Apolodoro la mira a los ojos, y ella los cierra para que no hablen. La besa, y ella tiembla; aprieta sus labios contra uno de los ojos de la muchacha, y ésta, de pronto, azorada:

–¡Mi padre!

Y se separan.

«¡Pobrecillo! ¡Pobrecillo! ¡Cuánto me quiere!... ¡Y habrá creído lo de que venía mi padre!»

Y él: «No ha resultado el experimento; no ha resultado. Esto no es lo que necesito; hay que repetirlo».

Cuando llega don Epifanio llama aparte a su hija, que acude con el pecho anhelante, y le dice:

–Mira, hija mía, allá tú, que ésas son cosas vuestras; pero que sepas que estamos al cabo de todo. Tú verás, digo, pero no estás en edad de juegos, aunque tú creas otra cosa, que no la crees. Piénsalo en serio. Los dos son buenos chicos, pero alguno será mejor. Éste es tan raro... En fin, tú verás, Clara, tú verás; pero la cosa es que te decidas y les hagas que se decidan, porque así no podemos estar. Resuélvete de una vez y juega limpio.

–Es que...

–Es que eso es cosa tuya y eres tú quien tiene que decidirlo. La cuestión es que no digan –y dejando aquí plantada a su hija, se sale.

Y rompe a llorar la muchacha, invadida por una vergüenza enorme. ¿Es que la creen una chiquilla, una coquetuela? Entra la madre, y entonces Clarita se deja sentar ahogando los sollozos.

–Vamos, boba, no te pongas así, que todo ello no vale la pena. Decídete de una vez. Las demás también hemos pasado por trances parecidos. Para casarme con tu padre tuve que dar calabazas a un estudiante de Minas, y no me pasó nada, ni le pasó nada a él. Ese hijo de don Avito...

–Pero, mamá...

–Sí, sí, si ya lo comprendo, y es natural; pero hay que ponerse en las cosas...

–Es que...

–¡Quia!, tú no le quieres, te equivocas. Quererle.... quererle..., sí, todos nos queremos unos a otros, es natural. Es un
prójimo, al fin y al cabo, y hay que querer a todos; pero querer, lo que se llama querer, mira, eso viene después de casada,
con los años, cuando una menos se lo figura.

Clarita oculta la cara entre las manos y llora, llora de vergüenza; no sabe bien por qué llora. Levanta al cabo la frente y
dice: «¡Bueno!». Y se decide que sea esta noche la primera entrevista con Federico.

Y esta misma tarde llama don Avito en casa de don Epifanio; entrevístanse y se saludan. Viene Carrascal a pagarle la
última mesada de su hijo.

–Y le comunico, don Epifanio, que no va a poder seguir vi-
niendo al dibujo con usted.

–Está bien.

–No estaba del todo descontento de su enseñanza.

–Muchas gracias.

–No, no estaba del todo descontento de su enseñanza para
lo que aquí se usa, pero tengo mis planes respecto a mi hijo,
amigo don Epifanio.

–Es natural.

–Y usted comprenderá que teniendo yo planes...

–Claro está.

–Acaso usted mismo...

–No, no, yo no los tengo; ¿para qué?

–Pero querrá para su hija...

–Lo que ella más quiera.

–Es que...

–Es que eso es cosa de ellos.

–Pero mis planes...

–¿Planes? ¿Qué más da? Cada cual es cada cual, y por todas
partes se va a Roma...

«Este hombre es un imbécil», piensa don Avito, y, levantándose:

–Pues bueno, yo sabré qué hacer.

–Me parece bien, señor Carrascal, me parece bien.

–¡Usted siga bueno!

–Beso a usted la mano.

Y ya en la calle se dice don Avito: «No tengo carácter... teorías, nada más que teorías... Me está saliendo cualquier cosa... Marina... Marina... esta Marina... ¡oh, la herencia!». Y sin saber cómo, por atracción del abismo, sin duda, se encuentra en casa de don Fulgencio.

–Déjele, por Dios, amigo Carrascal. Déjele que adquiera la experiencia del amor, y como el amor no da fruto de ciencia más que muerto, como el grano de que la Buena Nueva nos habla, déjesele que se le muera. Necesita desengaños para que aprenda a conocer el mundo; le es precisa la muerte de la vida, tiene derecho a la muerte de la vida. ¿Tiene apetito?

–Cada vez menos.

–Buena señal.

Y al salir de casa del filósofo, se dice don Avito: «Pero este hombre..., este hombre... Este hombre me está engañando..., me ha engañado... ¡La ciencia, la ciencia!». Se encierra en su cuarto y se pone a leer un tratado de fisiología.

Se ha publicado en una revista la novelita de Apolodoro y ha sido recibida con absoluta indiferencia, menos por su padre que, ignorante del caso, no sale de su asombro. «Me he equivocado –se dice–; me he equivocado; de aquí no sale nada; me ha faltado voluntad para imponer la pedagogía; la pedagogía no me ha enseñado a tener voluntad; esta Marina..., esta Marina...» Pero se rehace, vuelve a leer el trabajo de su hijo y va encontrándole algo. «Sí, es indudable, tiene cosas; todavía se puede hacer de este muchacho, si no un genio, algo que se le parezca, y ¿por qué no un genio? El genio es la paciencia, su aparecer es cosa de largo proceso. ¿Y es que acaso se han acabado los genios literarios? Esperaré.»

A Clarita, que ha empezado a leerla y que está ya a punto de dejar a Apolodoro por Federico –para hacerlo pidió un plazo a sus padres y a su nuevo novio–, le ha aburrido soberanamente la tal novelita, y como ha adivinado haber servido de materia literatizable, acaba diciéndose: «Pero este Apolodoro..., este Apolodoro... ¡Pobrecillo!».

Y Apolodoro sufre con el fracaso, con el absoluto fracaso. Ni un ataque violento, ni una censura, no más que una mención de obligado elogio de Menaguti, que alaba lo que hay de él en la obra. Parece que desde la publicación de la novelita hay más ironía en las miradas de los amigos y conocidos, porque es indudable que todos se ríen por dentro. Y Clarita, cada vez más fría, cada vez más reservada, nada de eso lo dice, pero lo ha leído.

¿Y sigue queriendo a Clarita? ¿La ha querido alguna vez de veras? Ahora, luego de haberla aprovechado para hacer literatura, parece que el amor se le desvanece.

Mas la herida honda la recibe de don Fulgencio, a quien hace tiempo que no veía.

–Bien, Apolodoro, bien, bien merecido lo tienes. Un fracaso, un completo fracaso. Eso no es nada. ¿Has querido ser artista? Bien merecido lo tienes. Porque no creas que he dejado de comprender que tu preocupación ha sido la forma, la factura, el estilo, ¡cosas de Menaguti! Allí aparece tu novia, hacia la mitad, pero es tu novia vista por ojos de Menaguti. Ni aun a tu novia has sabido ver por ti mismo. Bien, bien merecido. ¿Conque estilo, forma, eh?

–En la forma consiste el arte.

–¿En la forma? ¿En la forma, dices? Saber hacer... saber hacer... ¡mezquindad! La cosa es, como dicen por ahí, pensar alto y sentir hondo, y perdona que...

–Es que eso impide...

–Sí, no sigas, lo impide, sí, lo impide. Ya sé lo que ibas a decir, si un pensamiento elevado o un sentimiento hondo pierden su elevación o su hondura por estar bien dichos. ¿No es eso?

–Yo creo que las realzan.

–Pues crees mal, Apolodoro, crees mal. La pierden, pierden su elevación y su hondura por estar bien dichos, eso que llamamos bien dichos, que es a medida de las tragaderas del común de los mortales que ni se elevan, ni ahondan, ni quieren fatigarse en pensar ni en sentir, sino que se les dé todo hecho. Has querido ser clásico... ¡buen provecho te haga! Lo clásico es repugnante; el saber hacer es repugnante. Shakespeare fundido con Racine sería un absurdo. ¡El arte es algo inferior, bajo, despreciable, despreciable, Apolodoro, despreciable! Y el buen gusto es más despreciable aún. ¿El arte por el arte? ¡Porquerías! ¿El arte docente? ¡Porquerías también! Es preferible sacudir las entrañas o las cabezas de cuatro semejantes, aunque sea lo menos artísticamente posible, a ser aplaudido y admirado por cuatro millones de imbéciles. Métete, métete a artista. Bien merecido lo tienes.

Apolodoro sale de casa del maestro diciéndose: «¡Me ha fastidiado! ¡Fracaso! ¡Fracaso completo! Nadie me hace caso; todos se burlan de mí, aunque me lo ocultan. Clarita no me quiere; ese Federico..., ese Federico... Y luego que me venga Menaguti con todo eso del arte... ¡El arte! ¿Tendrá razón este hombre? ¿Será una porquería?».

Trece

Clarita sueña un duelo por su causa, mas no hay tal duelo. En la primera entrevista que tiene a solas con Federico, lo primero que éste hace es cogerla en brazos y besarle furiosamente la boca, y ella, en desmayo, bajo el machaqueo del corazón, piensa: «¡Éste es un hombre! ¡Pobre Apolodoro!». Federico acostumbra hacer lo primero que el cuerpo le pide, lo que le da la real gana, y gracias que ante gente, puesta la irónica máscara, se contenga.

—Y en adelante has de ser mía, y sólo mía. ¿Has oído?

—Sí.

—¡Ah! Y tienes que escribir a ése una carta que voy a dictarte.

—Hombre...

—No tengas cuidado; sé lo que debes decirle.

—Pero ya la haré yo...

—¡Bueno!

Y se encuentra Apolodoro, en una tarde lluviosa, con la carta fatal, y apretándola en el bolsillo se echa a la calle, a tomar el aire, a andar sin rumbo, bajo los latidos de la cabeza. Y sufre a la vez del fracaso del cuento, y cree que cuantos cruzan con él le miran y se ríen por dentro. Y en esto se encuentra

140

con el melenudo Menaguti, el poeta sacrílego, sacerdote de Nuestra Señora la Belleza.

–¿Qué es eso, joven? ¿No disciernes a la gente, amigo Apolodoro?

–¡Ah, dispensa!...

–¿Qué es eso de dispensa? ¿Qué te pasa? ¿Qué te acaece?

–¡Oh! Nada..., nada...

–¿Nada? *¿No cosa nada?* No te vale ocultarlo... mira que me adiestro en la inquisición psicológica... y esos ojos, ese aspecto...

–Pues bien, sí, que Federico me ha quitado la novia.

–¿Federico Vargas?

–El mismo.

–¿Y a eso denominas nada, *no cosa nada,* nonada? ¿Y dejas que ese... esportulario del espíritu te birle la novia? ¿Y así lo dejas?

–¿Y qué le voy a hacer?

–¿Qué? Bien se echa de ver que tu genitor te ha empapuzado de ciencia, de esa infame bazofia que con la religión es la causa de nuestra ruina. «Los sabios y los ricos no sirven más que para corromperse mutuamente»; acabo de leerlo en Rousseau. ¡Oh la libertad! ¡La santa libertad! *Virgo Libertas!,* para los que merecemos ser libres, se entiende, que somos muy pocos. ¡Oh, la Belleza!, ¡la santa Belleza! *Alma Venustas!* Eres un esclavo, Apolodoro.

–¿Y qué le voy a hacer?

–¿Qué? ¡Matarle!

–¿Matarle? ¿Pero sabes lo que estás diciendo?

–¡Matarle o matarte! Justar vuestras vidas ante Helena.

–Se llama Clara, Hildebrando.

–Sé lo que me digo; justar vuestras vidas ante Helena, ante la mujer.

> *Nam fuit ante Helenam cunnus taeterrima belli*
> *causa, sed ignotis perierunt mortibus illi*[1].

1. Horacio, *Sátiras,* I, 3, vv. 107-108.

»Te lo digo en latín para no escandalizar tus oídos, no avezados a la hermosa sinceridad pagana. Justa tu vida ante Helena, y si no eres capaz de ello..., ¡esclavo! –y al decir esto se sacude la melena–, envía tu dimisión de la vida al

brutto
poter che, ascoso, a comun danno impera[1],

»que dijo Leopardi; al Ser Supremo, como le llaman los que pretenden conocerlo mejor.

–Pero fíjate en que...

–No me fijo. Anda, ve ahora mismo y provócale, y si no le provocas no eres hombre. Provócale... ¡Que le provoques te he dicho! Y no vuelvas a ofertarme la palabra sino después de haberle borrado del libro de la vida o de haberte borrado de él tú. ¡A provocarle! –y le vuelve las espaldas.

Y se queda Apolodoro suspenso, retintinándole el «¡provócale!». Y recuerda cuando de niño presenció una mañana aquella famosa cachetina entre Pepe y Narciso, y como rodeaban a uno y otro los amigos de ambos, y mientras se miraban los desafiados, diciéndose: «¡Anda! dame motivo!», les gritaban del corro: «¡Anda con él cobarde, cobarde! ¡Te puede! ¡Que te puede! ¡Anda! ¡Provócale! ¡Mójale la oreja! ¡Anda! ¡Provócale! ¡Provócale!». «¡Provócale! ¡Teorías! ¡Pedagogía también! ¡Mátale o mátate! ¡Mátate..., mátate!...», y se encuentra de manos a boca con Federico.

–¡Hombre! ¿Usted por aquí?

–¡Sí, tenemos que hablar!

–Cuando usted quiera, donde quiera y como quiera: ¿le conviene ahora y aquí mismo, según paseamos?

–Es que... –empieza Apolodoro, vencido por esta decisión.

–¿Será por lo de Clarita?

–Tenemos que arreglar eso.

---

1. «A se stesso», vv. 14-15.

–¿Arreglarlo? Ya ella se ha encargado de hacerlo.

–Es que uno de los dos sobramos.

–Usted, si es caso.

–Es que... tenemos que batirnos... –y apenas lo suelta se dice: «Pero ¿quién ha dicho esto? ¿He sido yo?».

–Pero venga acá, infeliz, y no sea ridículo. ¿Quién le ha metido eso en la cabeza? ¿A que ha sido el imbécil de Menaguti?

–¿Es que usted cree que necesito de quien me meta en la cabeza nada?

–¡Schsch! No tan alto; no hay que dar gritos.

Y Apolodoro, alzando aún más la voz:

–¿Es que cree que soy un maniquí? Es que conmigo...

–Le he dicho ya que no tan alto, que si sigue dando voces tendré que meterle el pañuelo en la boca.

–¿Es que cree usted que soy un majadero?

–¡Basta! Y no sea niño ni haga el tonto. Su padre le ha echado a perder con la pedagogía. La verdad es que después de tanto prepararse, salir con esa sandez de novelita no autoriza a pretender el amor de una joven como Clarita. Aprenda a vivir, tome tila y reflexione. Y ahora déjeme, que llevo prisa.

Y entrando en un portal, le deja en medio de la calle. Brótanle las lágrimas, y al través de ellas se le enturbia el mundo, y el gusto a la vida empieza a derretírsele, y se queja, diciéndose: «Sí, dimito, dimito... me mato... ¡Oh, este padre..., este padre!...».

Todos contra él; todos se burlan de él. Va avergonzado, pues le miran todos de reojo diciéndose: «Ahí va el hijo de don Avito, el que va para genio... ¡pobrecillo!». El condenado mundo, todo él mentira e injusticia, empieza a estropearle el estómago, produciéndole hipercloridia, y ésta le produce hipocondria y se le envenena la sangre y la sangre le envenena el cerebro. Y llega un día en que un amigo se atreve a preguntarle: «¿Cómo va tu ex futura?» ¡Ex futura! ¡Llamar a Clarita ex futura!

Decide ir a vengarse viendo a don Fulgencio, la fascinadora serpiente, el hombre todo ironía y mala intención. Y verá a doña Edelmira, ¡qué buenas carnes todavía! ¡Qué sonrosadas y rellenas! Y ¡qué peluca!

Ya está en casa de don Fulgencio. ¡Qué extraña seriedad la del filósofo!

–¡Hola, Apolodoro! ¿Qué te trae? ¿Dónde has andado? ¡Pareces preocupado! ¿Qué te pasa?

–¡Qué me ha de pasar, don Fulgencio! Me pasa que entre usted y mi padre me han hecho desgraciado, muy desgraciado; ¡yo me quiero morir! –y rompe a llorar, como un niño.

–Pero, hijo mío, pero Apolodoro... cálmate, hombre, cálmate... Alguna niñería. ¡Vamos, hombre, no seas así!...

–¡Que no sea así..., que no sea así!... Y ¿cómo soy, sino como ustedes me han hecho?

–Pero, vamos, dime: ¿qué te pasa? ¿Es por el fracaso del cuento? Sí, estuve duro, lo reconozco, mas has de tener en cuenta...

–No; no es eso.

–¡Ah, ya caigo! ¿Es que te ha dejado la novia? –y tras un silencio–: ¡Bah!, eso no vale nada.

–No vale nada... que no vale nada... No, para usted no. ¡Y todos se burlan de mí, todos!

–¡Visiones!

–Es que me desprecia todo el mundo...

–Vamos, sé formal, ven acá, ten confianza en mí y ábreme tu pecho. Desahógate, Apolodoro, desahógate.

Y va don Fulgencio y cierra con llave la puerta del gabinete, y en lágrimas y sollozos es toda una confesión auricular de entrecortadas frases. Y al acabarla Apolodoro, se levanta el filósofo y se pasea cabizbajo, y luego acerca su silla a la del mozo, se sienta junto a él, y casi al oído en la penumbra de la caída de la tarde, le dice:

–¿Sabes lo que es el erostratismo, Apolodoro?

–No, ni me importa.

–Sí te importa, nos importa mucho saberlo. El erostratismo es la enfermedad del siglo, la que padezco, la que te hemos querido contagiar.

–Y ¿qué es eso?

–¿Ves como te importa? ¿Sabes quién fue Eróstrato? Fue uno que quemó el templo de Éfeso para hacer imperecedero su nombre; así quemamos nuestra dicha para legar nuestro nombre, un vano sonido, a la posteridad. ¡A la posteridad! Sí, Apolodoro –cogiéndole de una mano–, no creemos ya en la inmortalidad del alma y la muerte nos aterra, nos aterra a todos, a todos nos acongoja y amarga el corazón la perspectiva de la nada de ultratumba, del vacío eterno. Comprendemos todos lo lúgubre, lo espantosamente lúgubre de esta fúnebre procesión de sombras que van de la nada a la nada, y que todo esto pasará como un sueño, como un sueño, Apolodoro, como un sueño, como sombra de un sueño, y que una noche te dormirás para no volver a despertar nunca, nunca, nunca, y que ni tendrás el consuelo de saber lo que allí haya... Y los que te digan que esto no les preocupa nada, o mienten o son unos estúpidos, unas almas de corcho, unos desgraciados que no viven, porque vivir es anhelar la vida eterna, Apolodoro. Y se irá todo este mundo y todas sus historias y se borrará el nombre de Eróstrato y nadie sabrá quién fue Homero, ni Napoleón, ni Cristo... Vivir unos días, unos años, unos siglos, unos miles de siglos, ¿qué más da? Y como no creemos en la inmortalidad del alma, soñamos en dejar un nombre, en que de nosotros se hable, en vivir en las memorias ajenas. ¡Pobre vida!

Apolodoro, secas ya las lágrimas, tiembla a las palabras del filósofo.

–¿Qué soy yo? Un hombre, que tiene conciencia de que vive, que se manda vivir y no que se deja vivir, un hombre que quiere vivir, Apolodoro, vivir, vivir, vivir. Yo tengo voluntad y no resignación de vivir; yo no me resigno a morir, porque quiero vivir; no, no me resigno a morir, no me resigno... ¡y moriré!

Esta última palabra suena a lágrima.

–Aquí me tienes, Apolodoro; aquí me tienes, tragándome mis penas, procurando llamar la atención de cualquier modo, haciéndome el extravagante. Aquí me tienes, meditando en la eternidad día y noche, en la inasequible eternidad, y sin hijos..., sin hijos, Apolodoro, sin hijos...

Los sollozos ahogan sus palabras. Mozo y anciano se abrazan, llorando.

–¡Oh, cuántas fantasías! ¡Qué ensueños! ¡Qué ensueños los de la muerte de la vida y los de la vida de la muerte! ¿Tenemos derecho a la vida? ¿Tenemos deber de morir? ¡Ser dioses! ¡Ser dioses! ¡Ser dioses! ¡Ser inmortales! ¡La muerte! ¡Mira!

Y le enseña un papel en que están escritos nombres de sabios, filósofos, pensadores, seguidos de una cifra: Kant, 80; Newton, 85; Hegel, 61; Hume, 65; Rousseau, 66; Schopenhauer, 72; Spinoza, 45; Descartes, 54; Leibniz, 70, y otros muchos, seguidos de su cifra.

–¿Sabes lo que es esto? Los años que vivieron, hijo, los años que vivieron estos grandes pensadores, para sacar el promedio y hallar mi vida probable. ¿Ves estos papeles de este otro cajón? Proyectos de obras. Y yo me decía: «Hasta que las lleve a cabo todas no me muero». ¡Y no poder tener fe..., no poder tener fe en mi inmortalidad! ¿Por qué no he de ser yo el primer hombre que no se muere? ¿Es acaso una necesidad metafísica la muerte? E inventé aquella broma de que quien tenga fe, robusta y absoluta fe en que no ha de morir nunca, fe sin un instante de chispa de duda, nunca morirá. Mas ¡ay de él si tiene un solo momento, por fugaz que sea, de duda! ¡Ay de él si en las ansias mismas de la agonía deja que le pase sombra de duda de que no ha de morir! ¡Ay de él si llega a decirse: «¿Y si me muriera?»! Porque entonces está perdido, muerto. Jugaba así, ideando estas bromas, con el terrible espectro. Tú sabes que nada se pierde...

–Ley de la conservación de la energía..., transformación de las fuerzas... –murmura Apolodoro.

–Nada se pierde, ni materia, ni fuerza, ni movimiento, ni forma. Cuantas impresiones hieren nuestro cerebro quedan en él registradas, y aunque las olvidemos, y aun cuando al recibirlas no nos hubiéramos de ellas dado cuenta, allí quedan, como en toda pared quedan las huellas que las sombras todas pasajeras sobre ella proyectaran una vez. Lo que falta es un reactivo bastante poderoso para provocarlas. Todo cuanto nos entra por los sentidos en nosotros queda, en el insondable mar de lo subconciente; allí vive el mundo todo, allí todo el pasado, allí están también nuestros padres, y los padres de nuestros padres, y los padres de éstos en inacabable serie...

–¿Cómo?

–Sí, déjame que sueñe. ¿No heredamos de nuestros padres facciones, órganos, razas, especie? Pues lo heredamos todo; llevamos a nuestro padre dentro; sólo que sus más menguados rasgos, sus más personales peculiaridades están sumergidas en lo más hondo de nuestros abismos subconcientes... Y así, cuando entre los nietos de nuestros nietos surja el hombre-espíritu, cuando sea todo él conciencia, conciencia refleja su organismo todo, cuando la tenga de la vida de la última de sus células y del espíritu de ésta, entonces resucitarán en ellos sus padres y los padres de sus padres, resucitaremos todos en nuestros descendientes...

–¡Qué hermosura! –se le escapa a Apolodoro.

–Hermosura, sí. Pero ¿es lo hermoso verdad? ¿Y los que no tengamos hijos, Apolodoro? Aquí está el problema que me ha torturado siempre. Los que no tenemos hijos nos reproducimos en nuestras obras, que son nuestros hijos; en cada una de ellas va nuestro espíritu todo, y el que la recibe nos recibe por entero. Y ¿qué sé yo si al morirme y deshacerse mi cuerpo no se liberta alguna de mis células y, convertida en ameba, me propaga y propaga consigo mi conciencia? Porque mi conciencia está toda en mí y toda en cada una de mis células, Apolodoro, que éste es el misterio de la humana eucaristía...

Pero... lo más seguro es tener hijos..., tener hijos... Ten hijos,
haz hijos, Apolodoro. ¡Qué hermosura! ¿No?

–¡Oh, qué ensueños, don Fulgencio!

–Sí, ensueños. Y leo a Weissmann, y quiero pensar que somos ideas divinas, porque necesito a Dios, Apolodoro, necesito a Dios, necesito a Dios para hacerme inmortal... Vivir, vivir, vivir...

–¡Morir..., dormir! ¡Dormir..., soñar acaso!

–¿De dónde ha nacido el arte? De la sed de inmortalidad.
De ella han salido las pirámides y la esfinge que a su pie duerme. Dicen que ha salido del juego. ¡El juego! El juego es un esfuerzo por salirse de la lógica que lleva a la muerte. Me llaman
materialista. Sí, materialista, porque quiero una inmortalidad
material, de bulto, de sustancia... Vivir yo, yo, yo, yo, yo...
Pero haz hijos, Apolodoro, ¡haz hijos!

Y al conjuro de estas palabras dolorosas siente Apolodoro
un furioso deseo de tener hijos, de hacerlos, y se acuerda de
Clarita y suspira al acordarse de ella. Al despedirse le abraza
don Fulgencio, llorando. Y ya en la calle piensa Apolodoro:
«Soy un genio abortado; el que no cumple su fin debe dimitir... Dimito, dimito, me mato. ¡Pobre don Fulgencio! Me mato...
si no ¿cómo voy a presentarme ante Menaguti? Pero antes
tengo que asegurarme esa inmortalidad, por si es verdad,
pues ¿quién sabe? ¿Quién sabe? ¿Quién sabrá? Mamá cree en
la otra, y espera y sufre, sufre a papá..., cree en la otra. Ése que
pasa también me mira de esa manera especial; o ha leído mi
cuento o sabe lo de Clarita; debe conocerme o conocer a mi
padre, y por dentro se ríe de mí, como todos. ¡Oh, dimito, dimito!».

Catorce

Ayer vio a Clarita, a lo lejos y de paseo, y se le encendió el mal extinguido amor, y ahora es cuando comprende que la quería, que la quería con toda el alma ahora que otro la quiere y quiere ella al otro. Y se dice: «Ya que no puedo ser genio en vida, lo seré en la muerte; escribiré un libro sobre la necesidad de morirse cuando el amor nos falta, y me mataré, me mataré por no dejarme morir...

> *Fratelli, a un tempo stesso Amore e Morte*
> *ingenerò la sorte*[1].

»Mas antes, Apolodoro, haz hijos, haz hijos; busca la inmortalidad en ellos... ¡por si acaso...!»

Y al llegar a este punto de su soliloquio, hiere su vista y su corazón un espectáculo terrible. Es que en un rincón yace un pobre epiléptico, haciendo las más grotescas contorsiones, torciendo boca y ojos, sacudiendo la mano como quien

---

1. Los versos pertenecen al poema «Amore e Morte», vv. 1-2, de Leopardi, uno de los poetas más admirados por Unamuno y del que hizo algunas traducciones al castellano.

toca la guitarra, y le rodean cinco chiquillos, que celebran la gracia[1].

–¡Anda, Frasquito, toca malagueñas!

Y Frasquito hace que toca y guiña los ojos y tuerce la boca, y los chicos le remedan y hacen gestos con él. Apolodoro se indigna y les grita:

–U os vais de aquí u os echo a puntapiés, chiquillos. Burlarse así de la desgracia...

Y mientras el pobre, a cuya gorra echa Apolodoro una moneda, le agradece con más profundas contorsiones, los chicuelos desde lejos:

–¡Vaya con el señorito! ¡Señoritín!, ¡aburrido!

«¡Aburrido!», el supremo insulto aquí para los niños, por lo menos cuando él lo era; hasta los niños le desprecian. ¿Sabrán lo del cuento?, ¿sabrán lo de Clarita?, ¿sabrán de quién es hijo?, ¿sabrán que le criaban para genio?

Y sigue su camino llevando la visión del epiléptico, visión que, sin saber cómo, le trae a las mientes una doctrina que oyera ha tiempo exponer a don Fulgencio. Y es que de lo sublime a lo ridículo no hay más que un paso, según dicen, mas deben añadir que tampoco hay más que un paso de lo ridículo a lo sublime. Lo verdaderamente grande se envuelve en lo ridículo; en lo grotesco lo verdaderamente trágico. De lo sublime a lo ridículo no hay más que un paso, un paso hacia dentro, el que da lo sublime al sublimarse aún más convirtiéndose en sublimado corrosivo. Si hubiera dioses y tuvieran que vivir con los hombres, nos resultarían los seres más grotescos. Y se añade Apolodoro: «¡Qué ridículo, qué sublime debo de ser! Dimito..., dimito y así mi ridiculez se sublimará..., dimito... Pero antes, ¡haz hijos, Apolodoro!».

1. Esta escena reproduce la escultura de «El triunfo de la muerte» que se encuentra en la capilla de los Benavente de Medina de Rioseco, y que produjo una fuerte impresión en Unamuno (v. «Jueves Santo en Río Seco», *OC*, I, p. 1027, y M. J. Valdés, «*Amor y pedagogía* y lo grotesco», *Cuadernos de la Cátedra «Miguel de Unamuno»*, XIII, 1963, p. 60).

Llega a casa, entra en su cuarto, abre un libro y ante las abiertas páginas le dice su demonio familiar: «Tu padre es un majadero; si no hubieses nacido de un majadero así... Mas acaso no sea majadero, sino envidioso; te ha educado así tal vez por celos, para que no le sobrepujes... No, no, es que está trastornado». Llaman a la puerta, manda entrar, y entra don Avito.

—Tenemos que hablar, Apolodoro.

—Tú dirás.

—Observo en ti desde hace algún tiempo algo extraño y que cada vez respondes menos a mis esperanzas.

—No haberlas concebido.

—No las concebí yo, sino la ciencia.

—¿La ciencia?

—La ciencia, sí, a la que te debes y nos debemos todos.

—¿Y para qué quiero la ciencia si no me hace feliz?

—No te engendré ni crié para que fueses feliz.

—¡Ah!

—No te he hecho para ti mismo.

—Entonces, ¿para quién?

—¡Para la Humanidad!

—¿La Humanidad? ¿Y quién es esa señora?

—No sé si tenemos o no derecho a la felicidad propia.

—¿Derecho? Pero sí a destruir la ajena, la de los hijos sobre todo.

—¿Y quién te ha mandado enamorarte?

—¿Quién? El Amor, o si quieres el determinismo psíquico, ése que me has enseñado.

El padre, tocado en lo vivo por este argumento, exclama:

—¡El amor!, siempre el amor atravesándose en las grandes empresas... El amor es anti-pedagógico, anti-sociológico, anti-científico, anti-...-todo. No andaremos bien mientras no se propague el hombre por brotes o por escisión, ya que ha de propagarse para la civilización y la ciencia.

—¿Qué líos son ésos, padre?

–Vaya, veo que no estamos todavía para oír a la severa Razón –y se retira don Avito.

Y empieza ahora un horror, un verdadero horror, tales son los despropósitos que al fracasado genio se le ocurren. Ocúrresele unas veces si estará haciendo o diciendo algo muy distinto de lo que se cree hacer o decir, y que por esto es por lo que le tienen por loco los demás; otras veces se le ocurre que está el mundo vacío y que son todo sombras, sombras sin sustancia, ni materia, ni cosa palpable, ni conciencia. Arde en deseos de verse desde fuera, como él mismo, y dejando de ser él mismo, dejar sencillamente de ser, ¡dimitir! Y para matar el tiempo se pone a descifrar logogrifos y charadas y a resolver solitarios en la baraja. Y tras los reyes, caballos, sotas y ases aparece Clarita, Clarita siempre, escoltada por don Fulgencio, don Epifanio, Menaguti, su padre, y al lado Federico. ¡Y cómo se parece a don Fulgencio esta sota de bastos!

Piérdese en paseos por el campo, en los que se entretiene en fecundar las flores sacudiendo el polen de los estambres sobre los pistilos, o en soplar la corona de semillas del amargón, a que se esparzan por el campo.

Un día va a dar al cementerio, a meditar allí, entre aquellas filas de nichos, y apenas se le ocurre cosa alguna. «Si no me quiere Clarita y no sé hacer cuentos, ¿para qué vivir?» La Muerte lo mismo que el Amor le dice: ¡Haz hijos! «La Muerte, ¿es distinta del Amor? Para la ameba, morir es reproducirse.» A sus pies lee en una losa: «¡Mariquita! ¡Mariquita! ¡Mariquita!». Y se sale del cementerio diciéndose: «Dimito, dimito; aquí está el sitio de los jubilados; mas antes haz hijos, Apolodoro». Y llega a casa y le trae la criada el chocolate.

–Oye, Petra, ¿has pensado alguna vez en morirte?

–¿Yo? ¡Ni ganas! –y se echa a reír.

Y ¡cómo ríe!, ¡y qué dientes enseña al reír!, unos dientes blanquísimos, sanos, bien alineados, unos dientes hechos para reír, para comer y para morder. ¡Qué salud!, ¡qué colores! Se le ve y se le oye respirar.

–¿Y en tener hijos, has pensado?

–Vaya, vaya, déjese de bromas, señorito –y se va.

¡Caramba con la moza!, ¡excelente molde!

Don Avito medita, entre tanto, en eso de Lombroso del parentesco entre el genio y la locura, y a punto de convencerse del fracaso de su hijo va a ver a don Antonio, el médico, y deciden examinar a Apolodoro.

–Mira, Apolodoro, tú no estás bueno, tú tienes algo, algún mal interior del que ni tú mismo sospechas, y es menester que el médico te examine.

–Sí, ya te entiendo, y sé lo que crees que tengo, pero es otra cosa; conozco mi enfermedad.

–Sí, el amor.

–No, la pedagogía.

Y llega el médico y le examina, y se va diciendo: «Pues señor, aquí no veo nada». Y Apolodoro se dice: «No sabe qué tengo ni lo sabrá nadie, aunque algo debo de tener, sin duda. Ha de ser un caso patológico, raro... ¿No sobrevive acaso el nombre de Dalton más que por otra cosa por la enfermedad que padeciera? ¡Erostratismo, puro erostratismo!, ¡ansia de inmortalidad! ¡Haz antes hijos, Apolodoro! Pero, ¿serviré para el caso?, porque yo estoy malo, muy malo; yo duro poco; ni me dará la vida tiempo a dimitir, me dejará cesante... Estoy muy malo». Y llama.

–¿Qué quiere usted, señorito?

–Nada, Petra, verte antes de salir, porque difundes tal aire de salud, se exhala tal salubridad de tu vista, que parece me alivia...

–Vamos, no se burle así...

–Espera, espera que te toque a ver si se me pega tu sanidad –y le pasa la mano por la cara.

–Estése quieto y dígame qué quiere.

–Que te vayas.

«Sí, mejor es que se vaya», y sale Apolodoro de paseo. «Allá va Menaguti; tengo que volverme y tomar otro camino, porque ¿con qué cara me presento a él?, ¿me habrá visto?, y si me ha visto, ¿caerá en la cuenta de que le evito?» Y tuerce y sale a la alameda, y topan sus ojos con Clarita, tan hermosa, y Federico al lado. Enciéndesele la sangre. Y les sigue, acomodando su paso al lento paso de ellos. Las piernas de Clarita van y vienen a compás, marcando alternativamente sus contornos en la falda, y ondean al vientecillo los rizos de su nuca, al vientecillo que orea el tierno follaje de primavera, el verde plumoncillo de los álamos, que despiertan desperezándose del invierno... Oh, ¡qué hermosa, qué hermosa! «¡Y yo que creía no quererla! Ahora, ahora es cuando comprendo cuán enrocinado estaba por ella.» El vientecillo le da de cara, viene de ella y le trae efluvios, su aliento, su perfume, algo de su tibieza; entreabre la boca para mejor aspirarlo. «Algo me tragaré de ella, y en ese algo vendrá toda entera.» Y va creciéndole un absceso de amor, como un repentino tumor amoroso del ánimo, y le entran ganas de abalanzarse y de ahogarle a él y de forzar a ella y de dimitir luego, sí, de dimitir, pero después de haberle hecho un hijo. «Yo no estoy bueno, yo no estoy bueno; así no puedo seguir; a casa, a casa, que estoy muy malo.» Y sube las escaleras casi en fiebre, y cuando Petra le abre la puerta, se abalanza a ella y le da un beso, y la fiebre se le calma.

–¿Pero está usted loco, señorito?

Y a la noche, en la cama, besa primero a la almohada, con furia, y acaba por morderla, con más furia aún.

Vuelve a intentar el padre nueva conferencia, y a las pocas frases exclama el hijo:

–Bueno, pero la ciencia ¿me enseña a ser querido?

–Enseña a querer.

–No es eso lo que me importa.

–¡El amor!, ¡herencia fatal! Es un caso de la nutrición, después de todo, y nada más. Este tropiezo te servirá. También yo pasé por ahí...

–¿Tú? –y abre los ojos como queriendo tragarle con ellos–, ¿tú?, ¿tú? –y se echa a reír como un loco.

–Yo, sí, yo, yo; ¿pues qué se te figura, chiquillo?, ¿que sólo tú eres capaz de enamorarte? También yo, sí, también yo me enamoré de tu madre, también yo, y así has salido tú, como engendrado en amor...

–¿En amor?, ¿engendrado en amor yo? Te equivocas.

–Sí, tú. Pero para algo me has servido, para algo servirás a la humanidad, porque ahora se pone en claro que no haremos con la pedagogía genios mientras no se elimine el amor.

–¿Y por qué no hacer del amor mismo pedagogía, padre?

Don Avito se queda un rato suspenso, y dice luego:

–Mira, es una idea que no se me había ocurrido, y aunque me parezca absurda puede conducir a algo, como ha conducido a Lobacheusqui el hacer una geometría partiendo del absurdo de que desde un punto fuera de una recta puede bajarse más de una perpendicular a ella. Mira, dedícate a desarrollar esa idea, y tal vez des en la pedagogía metapestalozziana y en la cuarta dimensión educativa; ve ahí un campo abierto a tu genialidad...

–¡Padre, no se juega así con el corazón!

Y vuelven a separarse sin resultado.

Va llegando ya al colmo el desaliento nada científico de don Avito, quien da en recordar las más estupendas y peregrinas ocurrencias de aquel funesto de don Fulgencio, el mixtificador que por tanto tiempo le ha tenido preso en sus encantos maléficos, aquellas ocurrencias como la de la cura del sentido común, rémora de toda genialidad, mediante el masaje histológico del cerebro logrado por cierta trepidación eléctrica que obligue a las células nerviosas a entrecruzar de otro modo que como lo tienen sus prolongaciones pseudopódicas, la microcirugía psíquica, de donde se deduce la utilidad pedagógica del pescozón en cuanto éste hace vibrar el cerebro y sus 612.112.000 células; o recuerda lo de la cura de la monotonía mental mediante inyecciones de gelatina. Y luego se dice: «¿No será mejor que pretender hacer el genio, hacer primero la madre del genio? Tengo muy abandonada a Rosa, y la pobrecilla no me gusta, no, no me gusta; va desmejorándose mucho, pero mucho; no sirve meteorizarla. Todo me sale mal, todo me sale mal; quiero guiar a Apolodoro por el buen camino, y va y se me enamora; quiero robustecer físicamente a Rosa, y nada, cada vez más enteca. Esa Marina me la echa a perder con sus mimos».

Quince

El pobre Apolodoro, tras días de besar y morder la almohada por las noches, va encalmándose y ya parece no pesarle que Clarita le dejara, antes bien se complace, allá, muy en su interior, en tener tal excusa para dimitir la vida, como es su secreto anhelo. Porque ¿para qué sirve ya, fracasado como cuentista y como novio? Diríase que esta necesidad de morir él ha guiado al Destino, al Determinismo, a que Clarita le deje. Era menester una motivación. Y se recrea en la infidelidad de su ex novia y en el recuerdo de sus amores, más poéticos ahora que han pasado. «Nací como los más de los mortales, hastiado de la vida desde mi nacimiento, sin que haya logrado en mí la vida, como en los demás logra, borrar con el adquirido apetito la nativa saciedad. Y ahora ¿qué dirán si dimito?, ¿qué pensará papá?, ¡vaya unas cavilaciones que va a costarle!, ¡pobrecillo! ¿Me daré un tiro?, ¿me tiraré de una torre?, ¿tomaré un veneno?, ¿me ahorcaré? Pero ¿y mamá?, ¡mamá!, ¿y Rosa, la pobre Rosa, que está tan delicada?, ¿no será mejor diferirlo hasta que ella acabe?» Y le invaden mil recuerdos vagorosos y se encuentra con el padrenuestro en los labios, y al acabar de paladearlo se dice: «¡No nos dejes caer en la tentación!», y desde el fondo del

alma le dice la voz de don Fulgencio: «¡Haz hijos, Apolodoro, haz hijos!».

–Cuando usted guste, señorito.

–¿Eh?

–Está ya la sopa en la mesa.

–¡Pero qué salud, Petra, qué salud! Si la salud se pegara...
Ven acá.

Mas la criada desaparece.

Don Avito se ha vuelto a su hija, a Rosa, la meteorizada, que
arrastra dulce y tristemente una vida lánguida, de silencio y
de clorosis, a pesar de los meteoros todos. Y empieza el padre a luchar con un temperamento rebelde, a cambiarlo por
procedimientos científicos, porque la ciencia..., ¡oh, la ciencia!

Mas a pesar de la ciencia, la muchacha decae a golpe tendi-
do, y encama, y esto se va. El padre lucha desesperadamente,
pero sereno y tranquilo, recobrada su antigua firmeza y ayu-
dado por don Antonio en la faena, hasta que un día, convencido ya de la impotencia de la ciencia en este caso, ve que la
Muerte se acerca al lecho de la joven.

¿La Muerte?, ¿y qué es la muerte? Un fenómeno fisiológico,
la cesación de la vida. ¿Y qué es la vida? El conjunto de las
funciones que resisten a la muerte, un cambio entre las sus-
tancias albuminoideas orgánicas y el exterior, la desoxidación
del organismo.

Están ante la moribunda, confesada ya, su madre, don Avito y Apolodoro. Marina reza y llora en silencio, en sueños, hacia dentro; Apolodoro piensa en su dimisión y en la inmortalidad. Y don Avito, ante lo irremediable, da una lección:

–Va a concluir el proceso vital; el cianógeno o biógeno que
dicen otros, pierde su explosividad, estallando, y se convierte en albúmina muerta. ¿Qué íntimos procesos bioquímicos se
verifican aquí?

Rosa parece querer coger algo con las manos, casi esqueléticas, revuelve la vista sin mirar, y entreabre la boca para estertorar.

–La verdad es que no recuerdo bien la explicación fisiológica de esto del estertor.

La moribunda calla. Le toma el pulso su padre, acerca un espejo a su boca, por si se empaña.

–No tiene aún la ciencia medios eficaces para averiguar con exactitud cuándo un individuo ha muerto...

Marina se levanta, corta un rizo de la cabellera de la muerta, la besa, se arrodilla y oculta la cara entre las manos. Apolodoro va también a besarla, y su padre le detiene:

–¡Cuidado!, hay que saber dominarse.

Y el hijo, diciéndose: «¡Qué guapa está!, no parece que sufre», va a un rincón y oculta también la cara entre las manos. Y el padre prosigue:

–Aunque el individuo haya muerto como tal, continúa la sustancia viviendo. Si ahora le aplicáramos una corriente galvánica, se movería. No se han coagulado aún los albuminoideos, no están las células reducidas a su mayor concentración, no ha llegado la rigidez cadavérica. La concentración es la muerte, la expansión la vida; fíjate en esto, Apolodoro, y no te concentres, expansiónate. ¿Qué es eso, lloras?

–Sí, por ti, padre.

–¿Por mí? Pues no lo entiendo. Y aun rígido el cadáver, seguirán las pestañas vibrátiles conservando su actividad normal y seguirán viviendo los glóbulos blancos o leucocitos, estas células ameboideas. No hay un momento preciso en que la vida cese para empezar la muerte; la muerte se desenvuelve de la vida, es lo que llaman los fisiólogos la necrobiosis, la muerte de la vida de ese don Fulgencio.

«¡Haz hijos!», oye Apolodoro al oír este nombre.

–La muerte tiene su vida, digámoslo así, sus procesos histolíticos y metamorfóticos... –y al oír suspirar a Marina, añade–: ¡Es natural!, ¡cuánto le queda por hacer a la ciencia para dominar nuestros instintos! –y se sale del cuarto.

Marina levanta la cabeza, y como quien despierta de una pesadilla, con ojos despavoridos, exclama: «¡Luis, Luis, Luis!». Y Apolodoro va a sus brazos y se estrechan y se mantienen en silencio, estrechados, llorando:

–¡Rosa, Rosa, mi Rosa, mi sol, mi vida..., mi Luis, Luis, Luis, Luis, mi Luis, Luis, Rosa, mi Rosa!..., ¡qué mundo, Virgen Santísima, qué mundo! Luis..., Luis..., Luis...

–Papá...

–Cállate, Apolodoro... Luis..., Luis..., mi Luis..., Luis..., cállate... ¡Rosa..., mi Rosa..., Rosa..., Rosa!

–Pero, mamá...

–Yo quiero morirme, Luis... ¿no quieres tú morirte?

Apolodoro mira a la muerta y tiembla al oír estas palabras.

–Cálmate, mamá.

–Calla, no hables alto, que la despiertas..., ¿ves cómo duerme?

Los dos callan y parecen oír a lo lejos que del espacio visible bajan estas palabras del silencio:

> Duerme, niña chiquita,
> que viene el Coco
> a llevarse a las niñas
> que duermen poco.

Y la voz silenciosa se aleja cantando:

> Duerme, duerme, mi niña,
> duerme en seguida;
> duerme, que con tu madre
> duerme la vida.
> Duerme, niña chiquita,
> que viene el Coco...
> ....

–¡Mamá!

–¡Chist!, calla, que viene él, Apolodoro.

–No, no viene.

Quince   161

–¿No viene?

–No.

–Mírala, qué guapa, Luis, mi Luis, mírala... ¡Rosa, mi Rosa, Rosa, Rosa de mi vida!

«¡Ay, Clarita!», murmura Apolodoro. Cierran los ojos a la muerta y salen.

Y ahora, después de esta muerte, parece que le grita con más fuerza a Apolodoro su instinto: ¡hazte inmortal! Es una ansia loca, ansia que se exaspera un día en que ve a Clarita y ya no puede contenerse. Y he aquí que a las pocas noches, a oscuras, un: «Calla, calla... ¡Clarita! ¡Clarita! ¡Clarita!». Previa promesa, claro está; para que Petra cediera.

Cuando a los pocos días se entera Apolodoro de lo que ha hecho, éntrale una enorme vergüenza y asco y desprecio de sí mismo, y acaba en un: «¡Dimito!, ¡ahora sí que dimito!». ¡Pobre Petra!

A lo que se agrega que va a casarse Clarita, las amonestaciones de cuyo enlace se han hecho ya.

¿Escribirá algo antes, una especie de testamento? No, un acto solemne, serio, sin frases, ni posturas, pero original. Que no se rían de él después de muerto.

Se recoge y medita: «¡A descansar!, ¡a descansar!, ¡al eterno asueto! Soy un miserable; he cometido una infamia; todos se burlan de mí; no sirvo para nada. ¡Todo han querido convertírmelo en sustancia sin dejar nada al accidente! Hasta cuando me dejaban por mi propia cuenta era por sistema. Ahora sabré a dónde vamos..., ¡cuanto antes mejor! Aunque sólo fuese por curiosidad, por amor a saber, era cosa de hacerlo. Así se sale antes de dudas, respecto al problema pavoroso. ¿Y si no hay nada?».

Llaman a la puerta.

–¡Adelante!

–Por Dios, señorito, no se olvide...

–No tengas cuidado, Petra, todo se arreglará; vete ahora, déjame.

«Soy un miserable; he cometido una infamia. ¡Adiós, mi madre, mi fantasma! Te dejo en el mundo de las sombras, me voy al de los bultos; quedas entre apariencias, en el seno de la única realidad perpetua dormiré... ¡Adiós, Clara, mi Clara, mi Oscura, mi dulce desencanto! ¡Pudiste redimir de la pedagogía a un hombre, hacer un hombre de un candidato a genio..., que hagas hombres, hombres de carne y hueso; que con el compañero de tu vida los hagas, en amor, en amor, en amor y no en pedagogía! ¡El genio, oh, el genio! El genio nace y no se hace, y nace de un abrazo más íntimo, más amoroso, más hondo que los demás, nace de un puro momento de amor, de amor puro, estoy de ello cierto; nace de un impulso el más inconciente. Al engendrar al genio pierden conciencia sus padres; sólo los que la pierden al amarse, los que como en sueño se aman, sin sombra de vigilia, engendran genios. ¡Qué lástima que el deber de dimitir mañana no me permita desarrollar esta luminosa teoría! Al engendrar al genio deben de caer sus padres en inconciencia; el que sabe lo que hace cuando hace un hijo, no le hará genio. ¿En qué estaría pensando mi padre cuando me engendró? En la carioquinesis o cosa así, de seguro; en la pedagogía, sí, en la pedagogía; ¡me lo dice la conciencia! Y así he salido... ¡Soy un miserable, un infame, he cometido una infamia...!»

Llega la hora. Se encierra, sube a la mesa sobre la que pone un taburete, y prepara el fuerte cordel pendiente del techo; agárrase a él y de él se suspende para ver si le sostiene; hace el nudo corredizo y se lo echa al cuello, subido en el taburete. Detiénele por un momento la idea de lo ridículo que puede resultar quedar colgado así, como una longaniza; pero al cabo se dice: «¡Es sublime!», y da un empellón al taburete con los pies. ¡Qué ahogo, oh, qué ahogo! Intenta coger con los pies el taburete, con las manos la cuerda, pero se desvanece para siempre al punto.

Al ver que tanto tarda en venir a comer, don Avito va en su busca; registra la casa, y al encontrarse con aquello que cuelga, tras fugitivo momento de consideración salta a la mesa, corta la cuerda, tiende el cuerpo de su hijo sobre la mesa misma, le abre la boca, le coge la lengua y empieza a tirarle rítmicamente de ella, que acaso sea tiempo. Al poco rato entra la madre, más soñolienta desde que perdió a su hija, y al ver lo que ve se deja caer en una silla, aturdida, murmurando en letanía: «¡Hijo mío! ¡Hijo mío! ¡Hijo mío! ¡Luis! ¡Hijo mío!»[1]. Es una oración al compás de los rítmicos tirones de lengua. A su conjuro siente Avito extrañas dislocaciones íntimas, que se le resquebraja el espíritu, que se le hunde el suelo firme de éste, se ve en el vacío, mira el cuerpo inerte que tiene ante sí, a su mujer luego, y exclama acongojado: «¡Hijo mío!». Al oírlo se levanta la Materia, y yéndose a la Forma le coge de la cabeza, se la aprieta entre las manos convulsas, le besa en la ya ardorosa frente y le grita desde el corazón: «¡Hijo mío!».

–¡Madre! –gimió desde sus honduras insondables el pobre pedagogo, y cayó desfallecido en brazos de la mujer.

El amor había vencido.

---

1. Estas exclamaciones en situación similar las encontramos en *La esfinge*, *Vida de Don Quijote*, *Abel Sánchez*, *Cómo se hace una novela* y en *Hermano Juan*. En todas ellas se recuerda el episodio que vivió Unamuno la noche del 23 de marzo de 1897. Es entonces cuando se desencadena su profunda crisis espiritual, entre ahogos respiratorios y llantos. Su mujer, tratando de calmarle, le repetía: «¡Hijo mío, hijo mío!», mientras le abrazaba (v. Introducción).

Epílogo

Mi primer propósito al ponerme a escribir esta novela fue publicarla por mi cuenta y riesgo, como hice, y por cierto con buen éxito, con mi otra; pero necesidades ineludibles y consideraciones de cierta clase me obligaron a cederla, mediante estipendio, claro está, a un editor. El editor se propone publicar, a lo que parece, una serie de obras editadas con cierta uniformidad, y para ello le conviene que llegue cada una de ellas a cierta cantidad de contenido, porque todo, incluso las obras literarias, debe estar sujeto a peso, número y medida. Ya yo, por mi parte, previendo que la obra resultara demasiado breve para los propósitos del editor, la hinché mediante el prólogo que la precede, y con tal objeto se lo puse, mas ni aun así parece que he llegado a la medida. Hace seis días remití el manuscrito a mi buen amigo Santiago Valentí Camp, y he aquí que hoy, 6 de febrero, recibo carta fechada en Barcelona a 4 de febrero de 1902, en que este amigo, bajo el membrete *Ateneo Barcelonés-Particular*, me dice lo que sigue:

«Acabo de hacer entrega del original al señor Henrich, y por tanto queda ya casi terminada mi gestión en este asunto. Digo *casi* porque después de haber estudiado detenidamente con el señor Henrich y el jefe de la sección de cajas las propor-

165

ciones del libro y el número de cuartillas que tiene el original resulta que, aun haciendo uso de todos los recursos imaginables, no alcanza más que 200 páginas. Usted dirá cómo se resuelve el conflicto. A mí se me ocurren dos medios para arreglarlo».

A seguida me expone mi amigo los dos medios que se le ocurren para resolver el conflicto, uno de los cuales es alargar el prólogo y añadir dos capítulos a la novela, aunque ve a esto el inconveniente, inconveniente que yo también se lo veo, de que quitaría espontaneidad y frescura a la obra de arte, pues así la llama mi amigo. Opto por añadirle un epílogo, con el cual se consigue además que tenga mi libro la tan acreditada división tripartita, constando de prólogo, *logo* y epílogo, y es lástima que las necesidades del ajuste y el tipo fatal de 300 páginas, por una parte, y por otra lo apremiante del tiempo, no me permitan estudiar el modo de dar a esta división tripartita cierto módulo especial, tal como el de la llamada sección áurea –que tanto papel jugaba en la estética arquitectónica–, de manera que fuese el prólogo al epílogo como éste al *logo,* o sea, este epílogo una media proporcional entre el prólogo y el *logo,* artificio digno de mi don Fulgencio. De todos modos creo que es un epílogo lo que, resolviéndonos el conflicto, puede menos «quitar espontaneidad y frescura a la obra de arte».

Ya veo a algún lector, más o menos esteta, que tuerce el gesto y hace un mohín de desagrado al leer esto de «obra de arte» entre consideraciones, que tendrá por cínicas, de tan pedestre mercantilismo; mas debo aquí hacer a tal respecto algunas reflexiones sobre las relaciones entre el arte y el negocio, con lo que consigo, de añadidura, ir hinchando este epílogo.

Me tienen ya hartos los oídos de todo eso de la santidad del arte y de que la literatura no llegará a ser lo que debe mientras siga siendo una profesión de ganapán, un modo de ganarse la vida. Tiéndese con tal doctrina a hacer de la literatura un trabajo distinto de los demás y a presentar la actividad del poeta como algo radicalmente distinto de la actividad del carpintero, del labrador, del albañil o del sastre. Y esto me parece un funesto y grave error, padre de todo género de soberbias y del más infecundo turrieburnismo. No, hacen bien los obreros o artesanos que se llaman a sí mismos artistas, sin dejar que acaparen este título los otros.

Podría aquí extenderme –llenando mi objeto de tal manera– acerca de cómo en la Edad Media, en la época en que se levantaron las soberbias fábricas de las catedrales góticas, artista y artesano eran una sola y misma cosa, y cómo el arte brotó del oficio, mas es ésta una materia que puede verse desarrollada en muchos tratados especiales. Sólo quiero desarrollar brevemente un principio que oí asentar en cierta ocasión a don Fulgencio, y es el de que así como el arte surgió del oficio, así todo oficio debe revertir al arte, y si en un principio fueron la pintura, la música y la literatura algo utilitario, tienen que llegar a ser la carpintería, la labranza, la sastrería, la veterinaria, etcétera, artes bellas. Don Fulgencio, que, como habrá adivinado el lector, pasó por su temporada de hegelianismo, tomó gusto a las fórmulas del maestro Hegel y solía decir que el oficio era la tesis, la oposición entre oficio y arte, la antítesis, y el arte sólo la síntesis, o bien que es el oficio la primitiva homogeneidad en que se cumple luego la diferenciación de oficio y arte, para que lleguemos al cabo a la integración artística.

Todo tiene, en efecto, un origen utilitario, y sabido es que del cerebro mismo podría sostenerse que proviene del estómago; no la curiosidad, sino la necesidad de saber para vivir es lo que originó la ciencia. Mas luego ocurre que lo en un principio útil deja de serlo y queda como adorno, como recuerdo de pasada utilidad, como esperanza de utilidad futura tal vez, y de aquí el que haya dicho un pensador británico –no recuerdo ahora cuál– que la belleza es ahorro de utilidad. La belleza, añado, es recuerdo y previsión de utilidad.

Las artes llamadas bellas surgieron de actividades utili-
tarias, de oficio, y así puede sostenerse que los primeros
versos se compusieron, antes de la invención de la escritura, para mejor poder confiar a la memoria sentencias y aforismos útiles, de lo que nos dan buena muestra los actuales
refranes. Y así diremos que composiciones poéticas como
ésta:

> El que quiera andar siempre muy bueno y sano,
> la ropa del invierno lleve en verano;

o la de:

> Hasta el cuarenta de mayo
> nunca te quites el sayo;

o la de:

> Los en *um*, sin excepción
> del género neutro son.

son poemas fósiles o primitivos.

Más tarde fueron diferenciándose el arte llamado bello o
inútil, si se quiere, y el oficio, y hoy hemos venido a tan menguados tiempos que los artistas por antonomasia, los que se
dedican al oficio de producir belleza, pretenden pertenecer a
otra casta y sostienen con toda impertinencia que su actividad no debe regularse como las demás actividades y que su
obra no es cotizable ni se le puede ni debe fijar precio como a
una mesa, a un chaleco o a un chorizo. Es de creer, sin embargo, que esto lo hagan para cobrar más, pues da grima ver ex-
puesto en un escaparate un mamarracho pictórico y al pie:
500 pesetas. Esto es como aquello de que el sacerdote vive del
altar, y luego de hacernos ver que el santo sacrificio tiene un
precio infinito, leemos este anuncio: «Los señores sacerdotes
que quieran celebrar misas en la parroquia de San Benito re-

cibirán estipendio de tres, cuatro, cinco o seis pesetas, según la hora».

Sin hacer, pues, caso alguno, que no se lo merecen, a los sacerdotes del arte que sostienen que el poeta, el músico y el pintor no deben vivir de su arte, sino para él, yo creo que debemos trabajar todos para que llegue el día en que nadie viva de su oficio, sino para él, y en que comprendan todos que el armar una mesa, el cortar un traje, el levantar una pared o el barrer una calle puede, debe y tiene que llegar a ser una verdadera obra de arte por la que no se reciba estipendio, aunque la sociedad mantenga al carpintero, sastre y barrendero. Ya Ruskin inició en Inglaterra una nobilísima campaña para infundir arte en los oficios, pero lo que hace falta no es precisamente esta infusión, sino la fusión de ambos, del arte y de la industria. Libros hay escritos sobre las artes industriales, nombre que impugnan otros proponiendo se les dé el de industrias artísticas. Sean una u otra cosa, artes industriales o industrias artísticas, el hecho es que se va a la fusión de ambos términos.

Y para llegar a tal fusión antes estorba que favorece esa arrogante pretensión de literatos, pintores, músicos y danzantes, de que se les coloque en campo aparte y no se les confunda con los demás obreros. Sólo cuando todos participen de la misma ruda suerte, sólo cuando unos y otros estén sujetos al yugo del capital y se sientan de verdad hermanos en esclavitud económica, sólo cuando el poeta comprenda que no tiene más remedio que hacer sonetos, como su compañero hace cestas o zapatos, sólo entonces podrán trabajar todos juntos por la emancipación común y elevar a arte todo oficio, absolutamente todo. Es ineficaz el que el arte abra los brazos al oficio desde los espacios cerúleos, diciéndole: «¡Sube a mí!»; es menester que baje al infierno en que éste hoy arde y se consume, y se consuma y arda con él, y a fuego lento se fundan en la común miseria, y luego, llevado de sus ansias de elevación y de libertad, suba a los cielos, llevándose al oficio con él. Y así, y sólo así, podrá llegar día en que sea el trabajo espontáneo derrame de energía vital, actividad verdaderamente libre, actividad productora de belleza; así y sólo así llegará a ser la vida misma obra de arte y el arte obra de vida, según las fórmulas de que tanto gusta don Fulgencio.

He aquí la doctrina que bajo la inspiración de mi don Fulgencio he excogitado para explicar y justificar los móviles mercantiles y de negocio que me incitan a poner estrambote a una obra de arte.

Una vez justificada debidamente la existencia de este epílogo, cúmpleme hacer constar que cuando hace ya tiempo expuse a un amigo mío el plan y argumento de mi novela, se mostró muy descontento de que la hiciese terminar con el suicidio del pobre Apolodoro, conclusión desconsoladora y pesimista, y me exhortó a que buscase otro desenlace. «Debe usted hacer –me decía– que venza la vida, que el pobre mozo reaccione y se sacuda de la pedagogía, y se case y sea feliz. Si lo hace usted así le prometo traducirle al inglés la novela, pues dada su índole, creo que gustaría en Inglaterra.» Hubo un momento en que meditando en las razones que me dio mi amigo, y ante el señuelo, sobre todo, de que pudiese entrar mi obra al público inglés, pensé si convendría variar la solución que en un principio viera; mas todo fue inútil, cierta lógica subconciente e íntima me llevaba siempre a mi primera idea. Pensé luego en bifurcar la novela al llegar a cierto punto, dividir las páginas por medio y poner a dos columnas dos conclusiones diferentes, para que entre ellas escogiese el lector la que fuese más de su agrado, artificio que ya sé que nada tiene de original, pero sí de cómodo.

Esto de bifurcar la novela no sería un disparate tan grande como a primera vista parece, porque si bien es cierto que la historia no se produce más que de un modo y que cuanto sucede, sucede como sucede, sin que pueda suceder de otra manera, el arte no está obligado a respetar el determinismo. Es más, creo que el fin principal del arte es emanciparnos, siquiera sea ilusoriamente, de semejante determinismo, sacudirnos del hado. No lo de ilógico, sino otros y más graves eran los inconvenientes que a tal solución veía.

Y en cuanto a cambiar de desenlace, no me era posible; no soy yo quien ha dado vida a don Avito, a Marina, a Apolodoro, sino son ellos los que han prendido vida en mí después de haber andado errantes por los limbos de la inexistencia.

Lo que acaso desee saber el lector es qué efecto produjo a don Fulgencio, a Federico, a Clarita, a Menaguti, el fin trágico de Apolodoro, y qué hicieron luego de quedar sin hijos la Materia y la Forma.

Respecto a esto de llamar Forma y Materia a don Avito y a Marina quiero, antes de pasar adelante, mostrar un precedente y protestar ante todo que se me acuse de plagio en ello. Es el caso que estoy leyendo a Molière, y tres o cuatro días después de terminada mi novela y de haber remitido su manuscrito a Barcelona, me encontré con estos cuatro versos que dice Filaminta en la escena primera del acto IV de *Les femmes savantes*:

> *Je lui montrerai bien aux lois de qui des deux,*
> *les droits de la raison soumettent tous ses voeux;*
> *et qui doit gouverner, ou sa mère, ou son père,*
> *ou l'esprit ou le corps, la forme ou la matière.*

Por donde se ve que ya la Filaminta molieresca había comparado los dos términos del matrimonio, o sea, marido y mujer, a la materia y la forma, sólo que invirtiendo la relación de mi don Avito, ya que éste considera forma al marido y a la mujer materia, y Filaminta se tiene por forma y a Crisalo, su marido, le tiene por materia. Mas esta discrepancia procede de que en la comedia de Molière es la mujer la sabia, y en mi novela el sabio es el hombre. Por donde se ve que la materialidad y la formalidad de un matrimonio no la dan la virilidad y la feminidad, sino la sabiduría de una de ambas partes.

Pero debemos dejar, oh paciente lector, estos tiquis miquis metafísicos, ateniéndonos en punto a metafísica a lo que enseñaba aquel sargento de artillería que hegelianizaba sin saberlo, como monsieur Jourdain –recuérdese que estoy leyendo a Molière– hablaba en prosa sin saberlo. El cual sargento decía a unos soldados:

–¿Sabéis cómo se hace un cañón, no? Pues para hacer un cañón se coge un agujero cilíndrico, se le recubre de hierro, y ya está hecho.

Y como al hueco del cañón se le llama alma, bien pudo decir: «Se coge un alma, se le pone cuerpo, y hete el cañón».

Tal es el procedimiento metafísico, que es, como el lector habrá adivinado, el empleado por mí para construir los personajes de mi novela. He cogido sus huecos, los he recubierto de dichos y hechos, y hete a don Avito, don Fulgencio, Marina, Apolodoro y demás. Y si alguien me dijera que éste no es procedimiento artístico, por muy metafísico que sea, le diré que examine bien y vea qué encuentra debajo de sus propios hechos y dichos, y si debajo del hierro de nuestra carne no nos encontramos con un hueco o agujero más o menos cilíndrico.

Y volviendo a lo de antes diré que también yo me he preocupado, luego de recibida la carta de mi amigo Valentí Camp, en averiguar qué pensaron y dijeron de la muerte de Apolodoro don Fulgencio, don Epifanio, Menaguti, Federico y Clarita.

Empezando por Menaguti he de decir que cuando el sacerdote de Nuestra Señora la Belleza supo el percance de su amigo empezó a temblar como un azogado y le entró un grandísimo miedo, y que al volver un día a su casa, obsesionado por el recuerdo de Apolodoro, y pasando junto a una iglesiuca a aquella hora abierta, miró a todos lados y cuando vio que nadie le veía se entró a ella furtivamente y, dando trompicones, se arrodilló en un rincón y rezó un padrenuestro por el alma de su amigo, pidiendo a la vez fe a Dios, a un Dios en quien no cree. Ahora se encuentra el pobre en el último período de la consunción, hecho un esqueleto y escupiendo los pulmones, y empeñado en matar a Dios, a ese mismo Dios a quien iba a pedir furtivamente fe y que le haga que crea en él. Mientras ve venir la muerte a toda marcha está escribiendo un libro: *La muerte de Dios*.

De Clarita hemos averiguado que cuando Federico, su marido, le llevó la noticia del suicidio de su antiguo novio, exclamó: «¡Pobre Apolodoro! Siempre me pareció algo...», y luego se dijo para sí misma: «Hice bien dejarle por éste, porque si llegamos a casarnos y se le ocurre hacer esto...».

Federico se dijo: «Ha hecho bien; para lo que servía...»; dio un beso a su mujer y quiso ponerse a pensar en otra cosa, pero estamos seguros de que la imagen del difunto ha de presentársele más de una vez y que recordará a menudo la conversación que tuvieron en la alameda del río, cuando iba flotando en las aguas aquel cadáver.

Don Epifanio parece ser que murmuró entre dientes: «¡Pero ese Apolo, ese Apolo! ¡Quién lo hubiera creído!...». Y aquella noche se estuvieron él y su mujer cuchicheando más que de costumbre antes de entregarse al sueño. También les remuerde la conciencia porque todas las personas que figuran en mi verídico relato tienen su más o su menos de conciencia capaz de remordimientos.

En cuanto al insondable don Fulgencio, ¿quién es capaz de contar el torbellino de ideas que la catástrofe de su discípulo le habrá causado? Nos consta que está meditando seriamente en si el verdadero momento metadramático no es el de la muerte. Y ahora, al recordar la última entrevista que con Apolodoro tuvo, la del erostratismo, siente don Fulgencio escalofríos del alma al cruzarle la idea de si fue él quien sin quererlo le empujó a tan fatal resolución. Mas su dolor, dolor efectivo, real y doloroso, va cuajando en ideas, y proyecta estudiar el suicidio a la luz de la muerte de la vida y el derecho a la muerte de la vida y el deber de la muerte.

Mas a quien le ha producido el efecto más hondo y más rudo la muerte violenta de nuestro Apolodoro ha sido a Petra, la criada, a su Petrilla. Esto es para que se vea que la mayor rudeza de inteligencia y de carácter puede ir unida a la mayor profundidad y ternura de sentimientos. Esa pobre muchacha, víctima de las teorías de don Fulgencio obrando sobre los instintos de Apolodoro, sobreexcitados a la vista de la muerte próxima –pues veía claro que tenía que matarse–, esa pobre muchacha tuvo la desgracia de enamorarse *a posteriori* de su señorito, del padre del fruto que ahora lleva en las entrañas. Se ve sola y desamparada, viuda y madre, y en momentos de desesperación medita recursos extremos y funestísimos.

Aunque la congoja ahoga al infeliz Avito y a su mujer, hanse redimido uno y otro en el común dolor; Carrascal se ha dormido y Marina ha despertado a tal punto que ha logrado la pobre Materia que se arrodille junto a ella la Forma y rece a dúo, elevando su corazón a Dios. Y ahora es cuando empieza a hablar algo de su niñez, de aquella niñez que parecía haber olvidado. Mas a pesar de tal congoja, no han dejado de advertir el luto de la criada y sus extremos de dolor, y esto, descubriéndoles ciertos indicios que dormían en sus memorias y avivándolos al asociarlos en torno a este extraño dolor de la pobre Petrilla, les ha hecho vislumbrar la triste y dolorosa realidad que tal luto encubre.

Y llega un día en que llama don Avito a su criada y la interroga, y viene la penosa confesión, y la pobre muchacha se anega en llanto, y el pobre hombre, al sentirse abuelo, la consuela con dulzura:

–No hagas caso, Petrilla, no hagas caso ni te acongojes por eso, que desde hoy serás nuestra hija y te quedarás con nosotros, y tu hijo será siempre el hijo de nuestro hijo, nuestro nieto, y nada le faltará, y le cuidaremos, así como a ti, y le educaré, sí, le educaré..., le educaré... Y no volverá a pasar lo que con Apolodoro ha pasado, no, no volverá a pasar lo mismo, te lo juro... Le educaré, sí, le educaré con arreglo a la más estricta pedagogía, y no habrá don Fulgencio ni don Tenebrencio que me le eche a perder, ni se rozará con otros niños. Le educaré yo, yo solo, que de algo me ha de servir la experiencia de lo pasado; le educaré yo y éste sí que saldrá genio, Petrilla; te aseguro que tu hijo será genio, sí, le haré genio, le haré genio y no se enamorará estúpidamente; le haré genio.

Con lo cual se va Petrilla consolada, y hasta dando por bien empleado todo.

Cuando Marina lo sabe todo y la magnánima resolución de su marido, abraza primero a éste, que tan noble espíritu demostraba, y cae luego llorando en brazos de la hasta hoy su criada, y decimos hasta hoy porque acaba de decidirse que se tome en concepto de tal criada a otra y que quede Petrilla en concepto de hija y de viuda del pobre Apolodoro.

–Sí, Marina, sí, estoy satisfecho de mi resolución; así proceden los hombres honrados, es decir, razonables, y, sobre todo, muerto nuestro...

–Calla, Avito, no sigas.

–Bueno, faltándonos él, yo necesitaba alguien en quien aplicar con toda pureza mi pedagogía...

–¡Por Dios, Avito, por Dios, calla, calla! –exclama la pobre Marina, sintiendo el peso enorme del sueño que parece volverle.

–Es que...

–¡Por Dios, Avito, por Dios!, ¿más de eso todavía?

–Es que si aquello no fue de eso... es que no me dejaron aplicar con pureza mi sistema... Verás, verás ahora.

–¡Qué mundo, Virgen Santísima, qué mundo! –y empieza a sentir la pobre pesadísimo sopor sobre los párpados del alma, mientras Petrilla, satisfecha del papel de hija viuda, miró a uno y otro sin comprender nada de aquello, pero sintiendo que se trata del porvenir del fruto de sus entrañas.

Y ahora el pobre Carrascal se recata y a ocultas de su mujer llama a Petrilla para decirle:

–¿Te gustan las alubias, Petrilla?

–Bastante; ¿por qué me lo pregunta usted?

–Por nada, pero procura comer las más que puedas, ¿has oído?, las más que puedas, pero sin que se te indigesten, y sobre todo no digas nada de esto a Marina, ¿has oído?, ¡no le digas nada de esto!

Y cuando Petrilla se ha ido la llama para repetirle:

–Cuidado con decirle nada, pero nada; mas ten en cuenta que las alubias te convienen mucho.

Petrilla, satisfecha de su papel, se sonríe y se dice para sí misma: «¡Pobre hombre!, no está muy bueno, pero le daremos gusto...».

....

Así, a la vez que alargo este epílogo, dejo colgada esta historia para poder añadirle una segunda parte, si es que la primera gusta y encuentra buena acogida.

Aquí queda en suspenso este epílogo, en espera de la contestación que obtenga una carta que he dirigido hoy mismo a Barcelona preguntando de cuántas cuartillas consta el manuscrito –prólogo y *logo*–, pues sabiendo que son 272 las páginas que el editor quiere llenar, que lo ya remitido no hace más que 219, y que falta, por tanto, original para 53 páginas, tengo ya trazada la proporción para hallar el número x de cuartillas de que este epílogo debe constar, llamando n al número de las que constituyen el manuscrito que obra en manos del editor. La proporción es:

$$219 : 53 :: 281\ n : x$$

de donde $x = (281 \times 53) : 219 = 67$ cuartillas. Y no sigo porque me parece que ya estoy abusando.

Y a propósito; paseando esta tarde, como de costumbre, con un amigo mío médico y publicista, le he leído este epílogo, cuya historia conoce, y al punto, por una naturalísima asociación de ideas, le ha venido a las mientes el soneto aquel famosísimo de Lope de Vega que empieza:

> Un soneto me manda hacer Violante,
> que en mi vida me he visto en tal aprieto...

Cuando concluya este epílogo, en vista de lo que me contesten, le pondré como remate o contera el tercer verso del segundo terceto del soneto.

También recordamos, ¿y cómo no?, aquel gracioso cuento que en el «Prólogo al lector» de la segunda parte de su obra inmortal nos cuenta el único y grandísimo humorista de nuestra literatura, el cuento del loco aquel de Sevilla que dio en el gracioso disparate y tema de coger algún perro en la calle o en cualquiera otra parte, y «con el un pie le cogía el suyo y el otro le alzaba con la mano, y como mejor podía le acomodaba el cañuto –el cañuto de caña, puntiagudo en el fin– en la parte que soplándole le ponía redondo como una pelota, y en teniéndole desta suerte le daba dos palmaditas en la barriga y le soltaba diciendo a los circunstantes (que siempre eran muchos): pensarán vuesas mercedes ahora que es poco trabajo hinchar un perro».

Pensarás, lector pacientísimo y benévolo, que es poco trabajo hacer un epílogo, aun con ayuda de Cervantes, diré yo a mi vez cuando haya dado fin a éste. Yo también he de decir como nuestro gran humorista en el prólogo a la primera parte de su *Ingenioso Hidalgo* que si me costó algún trabajo componer mi novela, ninguno tuve por mayor que el de hacer el prólogo que a este libro encabeza y este epílogo con que le pongo cola y remate. Yo también hubiera querido «dártela monda y desnuda, sin el ornato de prólogo» ni demás perendengues, y por eso he rechazado el acuerdo, que por un instante me ha revoloteado en la mente, de añadirle notas como las que llevan algunas de las novelas de Walter Scott o Gualte-

rio Escoto, como el *Solitario* quería que los españoles le lla-
másemos.

Ya sé que todos estos escarceos y alargamientos habrían de
parecer abusivos y poco serios a buena parte de nuestro público; mas confío por otra parte en que esa parte no detenga sus severas miradas en estas páginas y así nos veamos libres ellos de
mí y yo de ellos, con lo que no sé quién ganará más, si ellos o yo.
No lo puedo remediar, pero a lo que mi natural más naturalmente me tira es a cierto conversar sin liga ni encadenamiento,
a un palique al modo de las odas pindáricas u horacianas en que
sin plan general ni serial vayan enredándose las ideas, por los ra-
billos de la asociación lógica que en los tratados de psicología se
estudia, como las cerezas se enredan. En mi vida sabré escribir
una obra rigurosamente científica y didáctica con reducirse esto

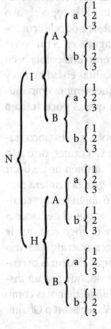

a llenar con definiciones, divisiones, teo-
remas, escolios, lemas, corolarios, postu-
lados, y eso que se llaman hechos –y que
en realidad son citas– un encasillado es-
quemático N por el estilo del que aparece en la presente página.

Por no saber llenar este cañamazo
científico nunca pasaré de un pobre escritor mirado en la república de las le-
tras como intruso y de fuera por ciertas
pretensiones de científico, y tenido en
el imperio de las ciencias por un intruso también a causa de mis pretensiones de literato. Es lo que trae consigo el querer promiscuar.

Y no me sirve ponderar lo incientífi-
cos que son nuestros literatos, a punto de que un poeta que pasa por eminente pueda ignorar cómo se halla el
volumen de un tetraedro o cómo se
producen las estaciones del año o cuál

es la ley de la reflexión de la luz, y lo iliteratos que son nuestros científicos, de modo que un eminente geómetra o químico no distinga un soneto de una seguidilla o un Rembrandt de un Rafael; no me sirve ponderar esto, ni aun yendo al fondo del mal, ni me sirve repetir que debemos tirar a sentir la ciencia y comprender el arte, a hacer ciencia del arte y arte de la ciencia, y sacar a relucir el ya tan resobado y socorrido caso de Goethe, el poeta egregio del *Fausto* y de *Hermann y Dorotea* y de las *Elegías romanas,* que parió una teoría científica de los colores y de la metamorfosis de los pétalos de las flores y descubrió el hueso intermaxilar en el hombre; no me sirve nada de esto, y por nada de ello habré de justificarme.

> Catorce versos dicen que es soneto,
> burla burlando van los tres delante.
> Yo pensé que no hallara consonante
> ....

Pero sí, consonantes no han de faltarme, y en último caso acudiré a los asonantes o aun al verso libre. Pues si hay verso libre o blanco como otros le llaman, *blank verse,* ¿por qué no ha de haber también prosa libre o blanca? ¿A título de qué hemos de uncirnos al ominoso yugo de la lógica, que con el tiempo y el espacio son los tres peores tiranos de nuestro espíritu? En la eternidad y en la infinitud soñamos con emanciparnos del tiempo y del espacio, los déspotas categóricos, las infames formas sintéticas *a priori;* mas de la lógica, ¿cómo hemos de emanciparnos? ¿Significa ni puede significar la libertad otra cosa que la emancipación de la lógica, que es nuestra más triste servidumbre?

Ya sé que yo mismo en otras ocasiones y en otros escritos he sostenido y afirmado que la libertad es la conciencia de la necesidad, la conciencia de la ley, que el hombre debe tirar a querer lo que suceda para que así suceda lo que él quiera, pero ésos no pasan de esfuerzos con que quiero engañarme a mí mismo y de reflexiones que me hago para encerrar el infinito del espacio en la menguada jaula en que estoy condenado a vivir después de haberme dado porrazos en vano contra los barrotes de ella.

Sí, ya sé que nos ponemos a escribir versos libres aquellos a quienes no nos sale libremente la rima, los incapaces de hacer fuente de asociación de ideas de la *rima generatrice,* como hacemos prosa libre o cháchara suelta a guisa de sangría los incapaces de la verdadera libertad, la que en la conciencia de la ley consiste.

A este propósito recuerdo lo que no hace aún tres días leí en *La critique de l'École des femmes,* de Molière, comedia en un acto estrenada en 1663, comedia en que Dorante dice que la gran regla de todas las reglas es agradar, y si una pieza de teatro ha conseguido este fin es que tomó por buen camino. El cual Dorante asegura que las reglas del arte no son los mayores misterios del mundo, sino «algunas observaciones que el buen sentido ha hecho sobre lo que puede quitar el gusto que se toma a tal suerte de poemas, y el mismo buen sentido que hizo antaño esas observaciones las hace obviamente todos los días sin la ayuda de Horacio y de Aristóteles». Esto del buen sentido, del *bon sens,* y sobre todo tratándose del buen sentido francés, me puso en guardia, recordando al punto cuanto acerca del sentido común tengo oído al bueno de mi don Fulgencio; mas ahora, al seguir hinchando este epílogo, vuelvo a recordar el pasaje de Molière y lo de que la gran regla de las reglas es agradar.

La gran regla de las reglas es, en este mi caso presente, ir entreteniendo, deleitando e instruyendo o sugiriendo si se puede al lector –*pariterque monendo,* metamos este acreditado ripio o relleno, pues cae mejor en latín–, para llevarle suave y dulcemente a las trescientas páginas «que es el tipo».

Y en esta mi tarea de sugerirle algo quisiera infundirle una chispa del secreto fuego que en contra de la lógica arde en mis entrañas espirituales o avivar más bien ese fuego que en él, como en todo hombre hecho y derecho, tambien arde, aunque sea bajo cenizas. Porque ¿qué otra cosa es el sentimiento de lo cómico sino el de la emancipación de la lógica, y qué otra cosa sino lo ilógico nos provoca a risa? Y esa risa ¿que es sino la expresión corpórea del placer que sentimos al vernos libres, siquiera sea por un breve momento, de esa feroz tirana, de ese *fatum* lúgubre, de esa potencia incoercible y sorda a las voces del corazón? ¿Por qué se mató el pobre Apolodoro sino por escapar a la lógica, que le hubiera matado al cabo? El *ergo*, el fatídico *ergo* es el símbolo de la esclavitud del espíritu. Mis esfuerzos por sacudirme del yugo del *ergo* son los que han provocado esta novela, pero la lógica se vengará, estoy seguro de ello, se vengará en mí.

Porque tiene razón don Fulgencio: «Sólo la lógica da de comer», y sin comer no se puede vivir, y sin vivir no puede aspirarse a ser libre, *ergo*... hele aquí, hele aquí después de esta especie de sorites al *ergo* vengador. ¿Y que más que un *ergo* fatídico me lleva a ir hinchando con mi cañuto de caña –pues de veras escribo con cañuto de caña a guisa de porta-plumas, por lo cual puedo decir con razón lo de *calamo currente*– este *ergótico* epílogo? ¿Es que no tiene acaso el tal epílogo su lógica, una lógica –seamos desnudamente sinceros–, una lógica que me da de comer?

Y siendo lo cómico una infracción a la lógica y la lógica nuestra tirana, la divinidad terrible que nos esclaviza, ¿no es lo cómico un aleteo de libertad, un esfuerzo de emancipación del espíritu? El esclavo se ríe cuando otro esclavo, tras momentáneo acto de rebelión, recibe sobre sus escuálidos lomos los latigazos de la tirana, el esclavo se ríe y se vuelve al plato, a comer de lo que la Lógica le da, nos volvemos al plato todos, porque «sólo la lógica da de comer». ¿Pero es que no hay algo grande, algo sublime, algo sobrehumano, en esa rebelión del pobre esclavo? ¿Es que en las entrañas de lo cómico, de lo grotesco, no sangra y llora la sublimidad humana? ¡Pobre corazón! ¡Pobre corazón que te ríes para no llorar! ¡Pobre corazón que te burlas para no compadecer, porque el compadecer te destroza y te aniquila!

Coged a Aristófanes, el gran cómico, al que no hubo bufonada que le arredrara, y ved cómo hace hablar en su comedia *Las ranas* a Esquilo, el gran trágico. ¡Desgraciados de nosotros si no sabemos rebelarnos alguna vez contra la tirana! Nos tratará sin compasión, sin miramientos, sin piedad alguna, nos cargará de brutal trabajo y nos dará mezquina pitanza. En cambio, si alguna vez le enseñamos los puños y los dientes, y nos revolvemos contra ella, haremos reír a los demás esclavos cuando la verga salpique de sangre nuestros lomos con sus golpes, pero la tirana nos mirará con otros ojos y nos llamará luego aparte a su retirada alcoba, y allí nos mostrará la Lógica sus secretos encantos y nos regalará con sus caricias y seremos por algunos instantes no ya sus esclavos, sino sus dueños. Y allí lloraremos en sus brazos lágrimas de redención, lágrimas de las que purifican y aclaran la vista, lágrimas de las que desahogan el vaso del corazón rebosante de amarguras. Allí, en brazos de la tirana lloraremos; ¡bienaventurados los que se ríen, porque ellos llorarán algún día! Y los que no se ríen, ésos no podrán llorar, y las lágrimas se les quedarán en el corazón envenenándoselo. Ved si no que los hombres graves, los que sólo por fuera y en la máscara se ríen, languidecen en soberbia y en envidia y avanzan fatigosamente uncidos al yugo infame del sentido común, cobarde ministril y capataz de la tirana Lógica.

Aquí alza otra vez la voz maese Pedro y me dice: «Llaneza, muchacho, no te encumbres, que toda afección es mala» (capítulo XXVI de la parte II de *El ingenioso hidalgo Don Quijote de la Mancha*), y me parece la voz de maese Pedro, del pícaro, galeote y desagradecido Ginés de Pasamonte, la voz del sentido común, de este Ginesillo de Parapilla que acaba en robar rucios a los Sancho Panzas.

Tiene razón maese Pedro, a quien bien a mi pesar sirvo de criado: no debo meterme en dibujos sino hacer lo que Don

Quijote me manda, que será lo más acertado, siguiendo mi
canto llano y sin meterme «en contrapuntos que se suelen
quebrar de sotiles», y lo que Don Quijote me manda es que
no me encumbre, sino que siga mi epílogo en línea recta sin
meterme en las curvas o trasversales, «que para sacar una
verdad en limpio menester son muchas pruebas y reprue-
bas». «Yo lo haré así», no sea que a Don Quijote se le antoje
salir en ayuda de Apolodoro y la emprenda a llover cuchilladas sobre mi titerera pedagógica y derribe a unos, descabece
a otros, estropee a don Fulgencio, destroce a Menaguti y entre
otros muchos tire un altibajo tal que si maese Pedro, el que
por dentro y bien a mi pesar mueve mi tinglado todo, no se
abaja, se encoge y agazapa, le cercena la cabeza con más facilidad que si fuera hecha de masa de mazapán, cercén que se
tendría muy merecido. Y de nada sirve que maese Pedro dé
voces a Don Quijote diciéndole que se detenga y advierta que
éstos no son sino figurillas de pasta y que me destruye y echa
a perder parte de mi hacienda, pues no dejará por eso Don
Quijote de menudear cuchilladas, mandobles, tajos y reveses
como llovidos, que el tal Don Quijote es hombre grave si los
hay y de los que toman las burlas en veras, por lo cual no sabe
tomar las veras en burlas ni se tiene noticia de que se haya reí-
do nunca por dentro, aunque haya dado que reír a todo el
mundo. Pues tal es la miserable condición humana, que no
queda otra salida que o reírse o dar que reír como no tome
uno la de reírse y dar que reír a la vez, riéndose de lo que da
que reír y dando que reír de lo que se ríe, según la fórmula que
me enseñó en cierta ocasión, al pie del *Simia sapiens,* mi don
Fulgencio.

   ¿Y hay, a propósito, nada más cómico que Don Quijote?
¿No lucha desesperadamente contra la lógica de la realidad
que nos manda que sean los molinos de viento lo que en el
mundo de la realidad son, y no lo que en el mundo de nuestra
fantasía se nos antoja que sean? ¿Y cuándo le volvió la lógica a
Don Quijote sino cuando la muerte le amagaba y rondaba en

torno suyo? Se rebeló contra la lógica el esclavo Alonso el Bueno, y la Lógica le llevó a su apartado retiro, y le ensenó sus secretos y le regaló con sus caricias, porque ¿no se ve a la Lógica y a la Lógica desnuda y sumisa y entregada y no vestida y tiránica y reservada en las aventuras todas de nuestro inmortal ingenioso hidalgo?

Yo lancé hace algún tiempo el grito de ¡muera Don Quijote!, y este grito halló alguna resonancia, y quise explicarlo diciendo que quería decir ¡viva Alonso el Bueno!, esto es, que grité ¡muera el rebelde!, queriendo decir ¡viva el esclavo!, pero ahora me arrepiento de ello y declaro no haber comprendido ni sentido entonces bien a Don Quijote, ni haber tenido en cuenta que cuando éste muere es que tocan a muerto por Alonso el Bueno.

Hasta aquí llegaba ayer, habiendo llenado cuarenta y una cuartillas de epílogo, cuando recibo hoy, 7 de febrero, carta de que hacen falta otras tantas, es decir, que apenas he llegado a la mitad de este epílogo.

Dejé ayer a prevención concluso el sentido al final de la cuartilla 18, después de hablar del efecto que la muerte de Apolodoro produjo al insondable don Fulgencio, y antes de ocuparme en el que a Petrilla produjo esa misma muerte, y lo dejé así con el objeto de poder intercalar entre las cuartillas 18 y 19 cuantas fueren menester. Y ahora, con objeto de poder cubrir ese hueco que a prevención dejé, voy a ver a don Fulgencio, en busca de lo que acerca del efecto que el suicidio de su discípulo le produjera.

Vengo de ver a don Fulgencio, el cual no ha querido hablarme de los efectos en su espíritu de la violenta muerte de Apolodoro. Apenas le hablé de ello se me mostró muy afectado y dolorido, y me dijo: «¡Pasemos a otra cosa!». Y al exponerle los motivos lógicos que me impelían a interrogarle sobre tan doloroso punto, me ha contestado diciendo que la cosa se arre-

glaba muy bien publicando a seguida de mi relato y epílogo
un trabajo cualquiera de él o mío, cosa muy dentro de las costumbres y usos literarios. Y tirando del cajón sacó de él un
manuscrito que me entregó, diciéndome:

–Ahí tiene usted una obra de mi juventud, un pequeño
diálogo titulado *El calamar,* que escribí poco después de haber rechazado un duelo que se me propuso. Si no bastara, publique usted algo suyo. Vamos a ver: ¿por qué no lo hace con
aquello de *El liberalismo es pecado,* que en cierta ocasión me
leyó?

–Es que yo quiero –le he dicho– que cuanto en un volumen vaya tenga cierta unidad de tono siquiera; en el chorizo se mete carne de vaca con la de cerdo, pero no sardinas ni
ciruelas.

–¡Unidad de tono..., unidad de tono...! Siempre salen ustedes con esas tonadillas de antaño, que en realidad no hay
quien las entienda a derechas. Y dígame, amigo Unamuno,
¿qué unidad de tono le encuentra usted al mundo? Y aunque
una obra de arte necesite unidad de tono, el libro, como obra
de arte, el libro, entiéndame bien, el libro, no su contenido, es
obra de arte tipográfico y no literario, y su unidad ha de ser
unidad de papel, de tipos, de caja, de impresión. Por lo demás, encuentro justificadísimo lo de sus editores, y una de las
cosas que más me gustan de nuestro libro inmortal es que
Juan Gallo de Andrada, escribano de cámara del rey don Fe-
lipe, certificara de que los señores del Consejo vieron el libro
intitulado *El ingenioso hidalgo de la Mancha,* compuesto por
Miguel Cervantes Saavedra, y tasaran cada pliego de él a tres
maravedís y medio, y teniendo el libro ochenta y tres pliegos,
al dicho precio montaba el dicho libro –diciéndome esto, tenía don Fulgencio abierto y a la vista el *Quijote*– doscientos y
noventa maravedís y medio, en que se había de vender en papel, y dieron licencia para que a ese precio se pudiese vender,
y mandaron poner esa tasa al principio del libro y que no se
pudiese vender sin ella. Pienso escribir algo sobre esto de la

tasa del *Quijote*[1]. Y a propósito de ello he de contarle lo que
no ha muchos años sucedió en la Corte entre un poeta y un librero. Fue el caso que el poeta le presentó un tomito de composiciones suyas, pidiéndole le tomase algunos ejemplares
con el consiguiente descuento. Cogió el librero el tomito y sin
abrirlo lo revolvió en la mano, examinando su longitud, lati-
tud y profundidad, hecho lo cual preguntó al poeta: «¿Y a
cuánto ha de venderse esto?» «A tres pesetas», contestó el
poeta, y el librero replicó: «Me parece caro». Y el poeta exclamó entonces: «Es que le advierto que es oro puro». «¿De oro
puro? En ese caso no me conviene», replicó el librero, devol-
viéndole el tomito. Créame, hasta el oro puro hay que saber
tasarlo, como tasaron los señores del Consejo el oro puro del
Quijote.

Otras muchas cosas me ha dicho don Fulgencio, dejándo-
me convencido, y al salir me ha entregado dos manuscritos
suyos, el diálogo de *El calamar*, de que hice mención, y los
Apuntes para un tratado de cocotología, autorizándome para
que haga de ellos el uso que crea conveniente.

Y ahora termino este epílogo, como prometí terminarlo
con el último verso del soneto de Lope de Vega:

Contad si son catorce, y está hecho.

---

1. Efectivamente, sobre este tema escribió Unamuno años después;
v. su artículo «Juan Gallo de Andrada» en *Nuevo Mundo*, Madrid, 14 de
julio de 1922.

Apuntes para un tratado de cocotología

Prolegómenos

En esta parte ha de tratarse de todo lo divino y lo humano, de lo conocido, de lo desconocido y de lo inconocible, arrancando siempre, a poder ser, de la nebulosa o del homogéneo primitivo si fuere preciso. Es de grandísimo interés, ante todo y sobre todo, establecer el concepto de la ciencia, pues sin haber establecido tal concepto es absolutamente imposible dar un solo paso en firme en ciencia alguna.

Lo del concepto de la ciencia nos llevará a tratar del problema del conocimiento, y con todo esto se puede llenar muy bien un tomo de regulares dimensiones.

Historia de la cocotología

Empezaré diciendo que la historia de la cocotología, como la de todo lo existente, posible y concebible, se pierde en la noche de los tiempos, y acudiré al Larousse a ver qué dice de ella. Y como es de suponer que no diga nada, consideraré a las

187

pajaritas de papel como un juego infantil y haré la historia de
los juegos infantiles y de todos los juegos en general. Con esto
bien puede llenarse otro tomo.

Razón de método

Aquí expondré el por qué trato primero de lo primero y segundo de lo segundo, y por qué lo tercero ha de ir antes de lo
cuarto y después de éste lo quinto. Ésta es una parte muy importante y en que se requiere mucho pulso.

Sabido es, en efecto, que el método lo es todo y que la ciencia se reduce al método, es decir, al camino, pues método significa en griego camino. Y teniendo en cuenta que hay dos
clases de caminos, vías o métodos, unos parados, por los que
el caminante discurre y anda, como son los caminos terrestres, y otros «caminos que andan», que llevan al caminante,
como son las vías fluviales o ríos, dividiré a los métodos, y
por consiguiente a las ciencias que los encarnan, en dos grandes grupos: métodos parados o terrestres, y métodos en movimiento o fluviales. De aquí las ciencias terrestres y las ciencias fluviales.

Y si me dijeren que esto es jugar con la metáfora, replica-
ré que todo es metáfora, y así saldré del paso. Forzaré, además, la metáfora hablando de caminos o métodos férreos,
como los de las matemáticas, aéreos, funiculares, vecinales,
senderos, veredas, atajos, etcétera, y terminaré de una manera magnífica y altamente sugestiva hablando del mar, que
todo el es camino, y comparándolo con la filosofía, y del
aire, que también es todo él camino, comparándolo con la
poesía. Porque es preciso hacer entrar la poesía entre las
ciencias. Aquí encajará lo de los «húmedos senderos» de
Homero, y con tal ocasión hablaré de Homero y del hele-
nismo.

Etimología

La palabra cocotología se compone de dos, de la francesa *cocotte*, pajarita de papel, y de la griega *logia*, de *logos*, tratado. La palabra francesa *cocotte* es una palabra infantil y que se aplica en su sentido primitivo y recto a los pollos y por extensión a todas las aves. En sentido traslaticio, a las pajaritas de papel y a las mozas de vida alegre. Aquí habré de extenderme en una comparación entre estas mozas y las pajaritas, frágiles como ellas.

La primera cuestión que surge respecto al nombre de nuestra nueva ciencia es que es el tal un nombre híbrido, como el de *sociología*, compuesta de una palabra latina y otra griega, y son muchas las personas graves que han visto en eso del hibridismo de su título un fuerte argumento en contra de la nueva sociología.

Acaso fuera mejor llamar a nuestra ciencia papyrornithiología (παπυρορνιϑιολογία), de las palabras griegas *papyros* (πάπυρος), papel, *ornithion* (ὀρνίϑιον), pajarita, y *logia*, pero le encuentro a este nombre graves inconvenientes que me reservo mostrar cuando publique el tratado.

Y no dudemos de la importancia del nombre, importancia tal que precisamente lo más grave de una idea u objeto es el nombre que hayamos de darle. Rechacemos aquel absurdo aforismo de *le nom ne fait pas à la chose,* «el nombre no hace a la cosa». Sí, el nombre hace a la cosa y hasta la crea.

¿No nos dice acaso el versillo 3 del capítulo I del Génesis que «Dijo Dios: sea la luz y la luz fue», creándola así con su palabra, y no fue lo primero la palabra, según el versillo primero del capítulo I del Evangelio según San Juan, que nos dice que «en el principio fue la palabra»? Fausto halla imposible estimar en tanto la palabra, el verbo, y lo traduce primero así: «En el principio era el sentido» *(Im Anfang war der Sinn),* mas luego lo corrige diciendo: «En el principio era la fuerza» *(Im Anfang war die Kraft),* y concluye por fin en decir: «En el

principio era la acción» *(Im Anfang war die That)*. No; Fausto
aquí divaga; digamos que en el principio fue la palabra y que
luego de haber formado Dios de la tierra toda bestia del campo y toda ave de los cielos «las trajo a Adán para que viese
cómo las había de llamar, y todo lo que Adán llamó a los ani-
males vivientes, ése es su nombre» (Gén., II, 19). Y este acto
de dar Adán nombre a toda bestia del campo y a toda ave de
los cielos fue su toma de posesión de ellos, y hoy mismo to-
mamos posesión intelectual de las cosas al nombrarlas.

¿Qué es, en efecto, conocer una cosa sino nombrarla? Conocer una cosa es clasificarla, nos dicen los filósofos, es dis-
tinguirla de las demás, y cuanto mejor la distingues es que la
conoces mejor. El hombre ignorante sólo sabe el nombre propio de las cosas, su *agnomen,* su nombre de pila que diríamos
hoy; las llama Cayo o Tito, Pedro o Juan; el menos ignorante
sabe su primer apellido; cuando se instruye más conoce ya el
segundo apellido, y así sucesivamente. Cuanto más adelanta-
mos en la ciencia de las cosas, más apellidos damos a éstas, co-
nocemos mejor su genealogía, las colocamos mejor en el lugar
que en su familia les corresponde. ¿La llamada historia natural
se reduce para los más a otra cosa que una nomenclatura?

Preguntémosle a la palabra misma por su importancia y
oficio, interroguemos a nuestra lengua latina, y ella nos dirá
que la raíz del nombre *nombre, nomen, gnomen,* es la raíz
misma, *gno* –del verbo *gnosco, cognosco,* conocer–, y que
esta raíz *gno* es hermana de la raíz *gen* –de *gigno,* engendrar–;
nombrar es conocer y conocer es engendrar, nombrar es engendrar las cosas. Y si se lo preguntamos a las lenguas germá-
nicas y anglosajonas nos dirán éstas que la voz palabra, *word*
en inglés, *wort* en alemán, es pariente del verbo *werden,* deve-
nir, hacerse, generarse, siendo la palabra un hacerse, un de-
venir, un engendrarse. Sí, inefable e inconocible es una sola y
misma cosa.

Razón tiene, pues, Carlyle cuando en su *Sartor Resartus*
(lib. II, capítulo I, Génesis) hace decir a Diógenes Teufels-

drockh lo siguiente: «Pues en verdad, como insistía a menudo en ello Gualterio Shandy, estriba mucho, casi todo, en los nombres. El nombre es el primer vestido con que envolvisteis al yo que visitaba la Tierra, vestido a que desde entonces se agarra más tenazmente (porque hay nombres que han durado casi treinta siglos) que a la piel misma. Y ahora, desde fuera, ¡qué místicas influencias no envía hacia dentro, aun hasta el centro, especialmente en aquellos plásticos primeros tiempos en que es el alma toda infantil todavía, blanda, habiendo de crecer la invisible semilla hasta convertirse en árbol frondoso! ¿Los nombres? Si pudiera explicar yo la influencia de los nombres, que son el más importante de todos los vestidos, sería un segundo y gran Trismegisto. No ya sólo el lenguaje común todo, sino la ciencia y la poesía mismas, no son otra cosa, si lo examinas, que un exacto *nombrar*... En muy llano sentido, dice el proverbio: *«Llama ladrón a uno y robará...»*. Así Carlyle.

Goethe, por su parte, en *Poesía y verdad* (II, 2), nos dice: «No estaba bien hecho que se permitiera aquellas bromas con mi nombre, pues el nombre propio de un hombre no es una capa que cuelgue de él, y a la que se pueda deshilachar y desgarrar, sino un vestido que ajusta perfectamente y hasta como la piel misma que ha crecido con él y sobre él, y a la que no cabe arañar y desollar sin herirle a él mismo».

Y, por último, para acabar con las citas, conviene transcribir aquí aquellos preñados versos en que nos dice Shelley en su *Prometeo desencadenado (Prometheus unbound*, acto II, esc. IV), que «dio al hombre el lenguaje y el lenguaje creó el pensamiento, que es la medida del universo»:

He gave Man speech, and speech created thought
which is the measure of the universe.

Con todas estas y otras consideraciones acerca del nombre, consideraciones que sacaré de mi cuadernillo rotulado *Ono-*

mástica, justificaré la importancia capital que tiene el nombre que doy a la nueva ciencia, y cómo al nombrarla la creo. Porque el nombre y su etimología debe preceder a la definición misma.

Definición

Aquí, después de exponer lo que es la definición y cuántas maneras de definición pueden darse, y de dar la etimología de la palabra definición, pasaré a estampar cuantas definiciones puedan darse de la cocotología, empezando por la más sencilla de que es la ciencia que trata de las pajaritas de papel.

Importancia de nuestra ciencia

Es importantísimo el dejar bien asentada *a priori* la importancia de la ciencia de que se va a discurrir, no sea que los lectores torpes no lo conozcan. Es esto tan importante como lo que hacen ciertos predicadores dialécticos que después de desarrollar un argumento añaden: «Queda, pues, evidentemente demostrada... tal o cual cosa», no sea que el oyente no lo haya conocido.

La importancia de la cocotología es que, como veremos más adelante, puede llegar a ser ciencia perfecta.

Lugar que ocupa entre las demás ciencias y sus relaciones con éstas

He aquí dos puntos capitalísimos y que se prestan a no poca discusión. En realidad, el segundo depende del primero, pues para colocar a nuestra ciencia en el lugar preeminente que le corresponde tenemos que determinar antes sus relaciones con las demás ciencias.

Relaciónase con las físico-químicas porque el papel, sea fino, sea de estraza, con que las pajaritas se hacen, está sujeto a las leyes todas físicas y químicas; pesa, refleja un color, da un sonido si se le hiere, se dilata por el calor, arde al fuego, es sensible a ciertos ácidos, etcétera. Se relaciona con las ciencias naturales porque dicho papel se extrae de materias vegetales, y sin conocer éstas mal se puede conocer bien tal papel. Relaciónase con la psicología porque las pajaritas de papel ayudan al desarrollo de la psique infantil, y con las ciencias sociales por su valor como juego de los niños. Pero ante todo y sobre todo se relaciona, como veremos, con las ciencias matemáticas, porque la pajarita de papel adopta formas geométricas definidas y puede someterse a fórmula analítica.

División

Aquí trataré de la división de la cocotología, pues no cabe tratar ciencia alguna sin dividirla antes por I, II, III, A, B, C, 1, 2, 3, a, b, c, etcétera. La ciencia no puede ser influyente y continua como una vena de agua; es menester que sea quieta y discontinua como un rosario.

Embriología

He de empezar por el estudio de la embriología de la pajarita de papel a partir del cuadrado primitivo de papel que, salido del protoplasma papiráceo, es el óvulo donde la pajarita habrá de desenvolverse. Y tal óvulo tiene que ser por fuerza cuadrado, lo más perfectamente cuadrado que quepa, sin que sirva que sea un cuadrilátero o paralelepípedo, pues de éste no sale más que un monstruo, como puede comprobarlo el investigador si, como nosotros, lo ensaya.

El óvulo cuadrado papiráceo experimenta primero la vuelta o involución de sus cuatro ángulos, cuyos extremos vienen a coincidir en el centro, produciéndose el segundo período, el de *blastotetrágono,* en que hay dos capas, la formada por los cuatro extremos plegados, el *endodermo* o *endopapiro,* y la formada por el centro del óvulo-cuadrado, el *ectodermo* o *ectopapiro.*

Una vez obtenido este segundo período experimenta el *blastotetrágono* un tercer pliego, una tercera complicación, volviéndose las puntas de él hacia el lado inverso de aquel a que las primeras se volvieron, es decir, hacia el endopapiro, y así tenemos la gástrula papirácea. De ésta puede salir ya, mediante un proceso que describiré minuciosamente en mi obra –obra ilustrada con exactos grabados–, la primera forma de pájaras, la más elemental y primitiva, en que los extremos que se doblaron primero vienen a formar la cabeza, las patas y la cola. De aquí también, mediante otro proceso, puede salir una mesa, la *trapeza papyracea,* la forma de tetrápodo o cuadrúpedo más sencilla que se conoce, como que es un cuadrúpedo puro, un mero tetrápodo, a tal punto que hay sabios que opinan, con algún fundamento, que no sirven las  cuatro patas para sostener el cuadrado o tablero de la mesa, sino más bien éste para soportar las patas. Aquí me extenderé en amplias consideraciones de cómo este tipo de la *trapeza papyracea* lo vemos luego reproducido en todos aquellos organismos superiores, incluso el hombre, en que el cuerpo lleva las extremidades en vez de llevar éstas al cuerpo, y estudiaré el tipo *trapeza* en la especie humana, en aquellos hombres cuya razón de ser es tener manos y pies.

Después del tercer período viene el cuarto, de donde se desarrolla, mediante un proceso que detallaré, la pajarita

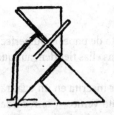

normal, caracterizada por tener cuatro costillas provenientes de las cuatro puntas primitivas y dos bolsas triangulares en la cabeza, a las que hay que dar denominación científica.

He de extenderme luego en el quinto período, en que aparecen los bolsillos a la pajarita, y aquí he de disertar doctamente acerca de estas pajaritas marsupiales, que representan un período de gran desarrollo. Porque es indudable que la aparición de los bolsillos es uno de los fenómenos más capitales y de mayor trascendencia del proceso orgánico. Con los bolsillos le nace a la pajarita una especie de mandíbula y se le forma boca propiamente dicha. (A todo esto es absolutamente preciso que el lector coja un cuadrado de papel y vaya experimentando por sí mismo lo que decimos, pues la cocotología es a la vez que exacta una ciencia eminentemente experimental.)

Esto de que la boca aparezca al mismo tiempo que los bolsillos es uno de los fenómenos más sorprendentes y sugestivos que pueden darse y convendrá que me extienda sobre él cuanto lo merece.

A la vez que boca y bolsillos desarróllanse en este quinto grado de la pajarita cuatro costillas pectorales simples a la par que las costillas espaldares se hacen dobles.

De los períodos sexto, séptimo, etcétera, nada diremos, pero sí haré juiciosas y hondas reflexiones acerca de la infinitud del número de estos períodos o grados, de cómo son inacabables. Sin embargo, a cada nuevo grado el grosor de la pajarita crece y la materia opone serias resistencias a su perfección geométrica, que es su razón de ser, por lo cual esos grados superiores están condenados a perecer en la lucha por la existencia, ya que no se adaptan a la perfección geométrica. Y esto nos lleva a la anatomía de la pajarita.

Anatomía

La razón de ser, en efecto, de la pajarita de papel es su perfección geométrica, perfección a que todas ellas tienden, aunque no logren alcanzarla jamás.

La perfecta pajarita ha de poder ser inscrita en un cuadrado perfecto, como en la figura adjunta vemos, y si recordamos que el óvulo de que salió era un cuadrado de papel, veremos que su perfección consiste en poder inscribirse en su propio óvulo-cuadrado, en mantenerse fiel a su origen. Y de aquí deduciremos que la perfección de todo ser consiste en que se inscriba y atenga a su óvulo generador, en que se mantenga en los límites de su origen.

Claro está que en las precarias y miserables condiciones de nuestra vida terrestre, y dados, entre otros inconvenientes, los que la materia presenta –el grosor y otras imperfecciones del papel–, no hay pajarita alguna que cumpla con toda exactitud rigurosa su ideal geométrico, ideal que se cierne en el mundo platónico de las ideas puras. El divino arquetipo de la pajarita es una especie geométrica que yace desde la eternidad en el seno de la Geometría. Cuanto más una pajarita se acerca a su arquetipo, y cuanto se inscribe en más perfecto cuadrado, tanto

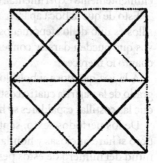

más perfecta es ella y tanto más se acerca a la superpajarita inaccesible.

Y aquí se nos presenta una interesantísima y muy sugestiva cuestión; es, a saber, la de que lo que hace la individualidad de cada pajarita, lo que de las demás pajaritas de su tamaño la distingue es precisamente su imperfección. Porque si todas las pajaritas fuesen perfectas, esto es, inscribibles en cuadrados perfectos, no habrían de distinguirse unas de otras más que cuantitativamente, por el tamaño, y no cualitativamente, y además por el diferente lugar que ocupasen en el espacio. No serían idénticas, pero sí semejantes o iguales, como son semejantes siempre dos cuadrados o dos triángulos equiláteros.

Vese, pues, que la perfección se adquiere a costa de personalidad, y que cuanto más perfecto o arquetípico es un ser, tanto menos personal es, y veamos por aquí, mirándonos en las pajaritas como en espejo, si nos conviene aspirar al sobrehombre, al hombre inscribible en óvulo perfecto, y si para lograr semejante perfección hemos de renunciar a nuestra personalidad cada uno. Cierto es que se nos ha dicho que seamos perfectos como nuestro Padre celestial, pero esto es como un término inaccesible a que debemos tender.

Y en último caso, sí, renunciemos a nuestra personalidad en aras de la perfección y aspiremos a ser semejantes, real y verdaderamente semejantes, perfectos, y a fundirnos en el arquetipo. Porque si es Dios, como algunos sostienen, mi proyección al infinito, como nuestras vidas paralelas en el infinito se encuentran y en el infinito coincide mi proyección con la tuya y con la del otro y la del de más allá y las de todos, es una sola la proyección allí, es Dios el lugar en que nuestros yos todos se identifican y confunden y perfeccionan. Es, pues, el Yo colectivo, el Yo universal, el Yo-Todo.

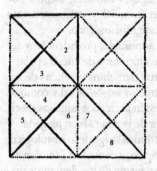

Y dígaseme ahora que la cocotología no es una ciencia importantísima y que abre vastísimos horizontes a la mente humana, llevándola a espléndidas contemplaciones.

Después de haber desarrollado debidamente estos tan importantes problemas que la cocotología plantea, convendrá

que me fije en las partes que la pajarita vista en proyección lateral nos ofrece, y que son, como se ve en la figura adjunta, ocho; dos en la cabeza, tres en la pata y tres en la cola, pues la pajarita no consta al exterior más que de cabeza, patas y cola. Las dos partes de la cabeza son, respectivamente, *protocéfalo* o cabeza anterior (número 1), *metacéfalo* o cabeza posterior (número 2); las tres de la pata son: *protópodo* (número 3); *mesópodo* (número 4) y *metápodo* (número 5), y las tres de la cola: *protocerco* (número 6), *mesocerco* (número 7) y *metacerco* (número 8). Todas ocho partes son triangulares y de triángulos iguales, triángulos rectángulos isósceles, siendo por consiguiente la pajarita un ser esencial y eminentemente triangular, un ser triánguli-rectánguli-isoscélico.

Y aquí tenemos una nueva, admirable, providencial y teleológica armonía al ver la perfección suma de nuestra pajarita, compuesta como de primeros elementos o células de sesenta y cuatro triángulos rectángulos isósceles, tal y como se ve en la adjunta figura, en que están marcados aquellos dieciséis que forman la parte exterior de la pájara bien plegada.

Y aquí tenemos cómo lo anatómico surge de lo histológico, lo macroscópico de lo microscópico, y cómo todo ser depende en cuanto a su organización y forma de los elementos primarios que le constituyen.

Sabido es, en efecto, que la diferencia entre la célula vegetal y la animal, encerrada aquélla entre duras paredes y como anquilosada y presa entre ellas y más libre la célula animal, a modo de ameba –el glóbulo de la sangre nos ofrece un caso de célula animal libre–, sabido es, digo, cómo tal diferencia es lo que principalmente condiciona las diferencias de estructura que entre el vegetal y el animal existen. Del elemento primario arranca la fábrica toda de un ser.

Lo vemos en la arquitectura, en que las formas de conjunto están condicionadas por el elemento, por la célula arquitectónica que se emplee, y así tenemos arquitectura en madera, imitada luego en piedra, arquitectura en piedra o de sillares, arquitectura del ladrillo y hasta arquitectura del hierro. Para desarrollar este punto consultaré las obras especiales de arquitectura y me dará lugar a ilustrar esta parte de mi obra con profusión de grabados de los principales monumentos egipcios, asirios, caldeos, frigios, griegos, etcétera.

Y la pajarita es, a no dudarlo, la forma arquitectónica, digámoslo así, que el papel pide y exige, la forma que del papel surge naturalmente, la perfección de la figura en papel, el perfecto ser papiráceo.

Todo en ella es admirable, no siendo de agotar la serie de armonías y misteriosas relaciones que nos presenta. La pajarita es, ante todo, un ser triangular, o, mejor dicho, triánguli-rectánguli-isoscélico, y como el triángulo rectángulo isósceles es la mitad de un cuadrado, vemos su relación íntima y profunda con el cuadrado que tanto papel juega en nuestra mensuración. En las líneas de la pajarita unas, como las que van de la coronilla al pico o de la rodilla al pie, son como lados del cuadrado, y otras, cual las tres líneas que partiendo del centro van a parar al pico y a los extremos de la pata y la cola, son como diagonales del mismo cuadrado, es decir, que tomando a aquéllas, como se las debe tomar, de unidad, equivalen éstas a $\sqrt{2}$, cantidad inconmensurable con la unidad. Y he aquí cómo se introduce en la esencia de la pajarita la misteriosa relación de la inconmensurabilidad.

Esta inconmensurabilidad es a la pajarita lo que la espiritualidad al hombre, y ella nos dice que debe la pajarita tener una vida suprasensible, porque ¿es de creer que el Supremo Autor de todo lo creado la dotara sin objetivo alguno de semejante inconmensurabilidad? ¿Hemos de suponer que no tenga fin alguno trascendente esta misteriosa relación de $\sqrt{2}$? Todo en la pajarita revela bien a las claras un plan preconcebido, todo nos demuestra un oculto designio, y como no hemos de ser tan torpes que supongamos que el niño que materialmente la construye sepa de triángulos isósceles, ni de inconmensurabilidades, ni de $\sqrt{-}$, forzoso nos es admitir que no es el tal niño más que instrumento ciego de un Poder Supremo, que a más altos destinos que el de entretenerle endereza a la pajarilla. Y aun nos atrevemos a sospechar que se haya hecho al niño para la pajarita y no a ésta para aquél, aun cuando tan plausible sospecha pueda herir la vidriosa susceptibilidad del rey de la creación. Mas de esto del origen y finalidad de la pajarita hablaré más adelante.

Otra maravillosa armonía es que la pajarita, vista en proyección, llena un área que equivale a la mitad del cuadrado en que se inscribe, ya que, como vimos en la figura de la página 197, consta de ocho triángulos de los dieciséis de que el cuadro consta. Es decir, que es su área la mitad del área del cuadrado en que se inscribe, lo mismo que el área de cada uno de los triángulos de que consta es la mitad del área de un cuadrado; ¡admirable armonía! Además, si consultamos la figura de la página siguiente veremos que los triángulos marcados en oscuro son 16, siendo 64 el número total de los que componen el óvulo primitivo, surgido del protoplasma papiráceo, el número total de células triangulares de la mórula embriónica papirácea; es decir, que el área exterior, que la piel de la pajarita es la cuarta parte, y ni más ni menos que la cuarta parte, del área del óvulo cuadrado, ¡nueva y misteriosa armonía!

Así continuaré analizando en mi obra las distintas y maravillosas relaciones métricas, conmensurables e inconmensurables, que de la estructura admirable de la pajarita se derivan, y luego de analizar sus relaciones estáticas me fijaré en las dinámicas. En las dinámicas he escrito, aunque haya quien crea, equivocadamente, que en la pajarita no cabe dinamismo.

¿Y cuál es el dinamismo de la pajarita, el dinamismo cocotológico? Pues el que resulta de mantenerse ella en pie, porque la función de la pajarita consiste en mantenerse en pie. Este mantenimiento es su fisiología.

Y no se me diga que el mantenerse en pie es algo estático y no dinámico; no, es dinámico, y muy dinámico. Más esfuerzos hacen falta muchas veces para mantenerse en pie que para avanzar. ¿Es que un cadáver puede mantenerse en pie como un hombre vivo? Luego la pajarita que se mantiene en pie, es una pajarita viva. Y no se me diga, no, que en tal sentido nada hay que no sea dinámico, y que lo es lo estático mismo, y que no sé bien la diferencia que entre lo estático y lo dinámico media, pues es estático un sistema de fuerzas en equilibrio; no se me diga esto, que no haré caso y seguiré en mis trece, pues yo me entiendo y bailo solo.

El dinamismo de la pajarita, digo, consiste en que se mantiene ella en pie y en equilibrio estable y se mantiene sobre tres puntos –puntos y no superficies, fijémonos bien en ello–, que son los dos puntos de los extremos de sus metápodos y el punto en que el protocerco, el mesocerco y metacerco se encuentran. Se sostiene sobre tres puntos, determinantes de un plano siempre, sobre tres puntos, sobre un triangulo isósceles, aunque no rectángulo, dado que de los dos extremos de las patas al punto de apoyo de la cola hay la misma distancia, ¡nueva, maravillosa y sorprendente armonía triangular!

Y obsérvese la perfección con que la pajarita pisa y se sostiene en tierra, véase que no toca al suelo más con los tres puntos, determinantes de un plano, precisos para mantenerse en equilibrio estable, que tiene el menor contacto posible con la tierra, y dígasenos si no es ésta una nueva y mirífica perfección de su ser, que le eleva por sobre tantos plantígrados humanos, que necesitan tocar el mayor suelo que ocupar puedan. La pajarita es un ser trípode, y la perfecta pajarita, la

pajarita arquetípica o ideal, no tocaría a tierra más que en tres
puntos geométricos, en tres puntos puros, determinantes de
un puro plano.

No hay más que otra figura que toque a tierra con menor
número de puntos, que es la esfera, que sólo sobre uno se sostiene, pero sostiénese en equilibrio
inestable, y no en estable. Y ¿quién
duda de que el triángulo sea figura
más perfecta que el círculo? Porque
si son maravillosas y sorprendentes
las relaciones del círculo, tan maravillosas y sorprendentes son las del
triángulo, siendo éste más vario que
aquélla, a mayor abundamiento.

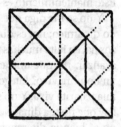

Porque en el círculo apenas hay más que unidad, mientras
que en el triángulo hay unidad, variedad y armonía, unidad
de espacio cerrado, variedad de lados y ángulos, armonía de
figura. Así ha sido siempre honrado y respetado el triángulo,
y con él el número tres que de él deriva, el misterioso número
tres, el primer número compuesto de un impar y de un par, y
precisamente del primer impar con el par primero. Aquí haré
un caluroso elogio del número tres, enumerando las principales categorías y potencias que se nos dan en terna o tríada,
y fijándome muy en especial en la Libertad, Igualdad y Fra-
ternidad; Dios, Patria y Rey; Agricultura, Industria y Comer-
cio; Verdad, Bondad y Belleza; Oriente, Grecia y Roma, etcétera.

Vamos ahora a la China, a ese país antiquísimo que guarda las más venerables reliquias de la infancia del género humano. Y una vez en China haré un caluroso elogio del interesante pueblo chino para concluir encareciendo la importancia del *tangram* o *chinchuap,* especie de rompecabezas
chinesco, que sirve de distracción a los niños y que se ha
adoptado en no pocas escuelas de Europa para desarrollar
el sentido geométrico de los niños. Consta el tangram de

siete piececitas de madera u otra
materia, cortadas al modo que se
ve en la figura adjunta, y con las
cuales puede hacerse todo género
de combinaciones. Es un juego muy
conocido.

Ahora bien, yo sostengo que semejante juego procede de la pajarita, y que a no más que construir la
figura de la pajarita se endereza, ya que sus últimos elementos, aquellos de que sus siete piezas constan, no son ni más ni
menos que los dieciséis triángulos rectángulos isósceles de
que el cuadrado en que se inscribe la pajarita consta, sin más
que la dislocación de dos de ellos.

Y buena prueba de que el tangram chinesco se enderezaba
a la comprensión de la pajarita es que, como se ve en las figuras adjuntas, se forman con sus siete piezas de un lado el óvulo papiráceo juntamente con la figura de la pajarita, pudiendo
superponer ésta sobre aquél, y de otro lado la pajarita toda.

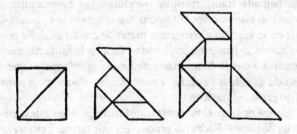

Origen y fin de la pajarita

El origen de cada *cocotte* o pajarita se nos aparece a primera
vista muy claro y obvio: la construimos nosotros con nuestras propias manos tomando un pedazo de papel. Mas ya he-

mos visto que al construirla no pasamos de ser humilde instrumento de una Potencia Suprema e Inteligente que guía nuestras manos. Aquí de lo que quiero tratar es de su origen filogénico, del origen de la especie. Porque nosotros las aprendi-
mos a hacer por haber visto hacerlas, mas ¿quién las ideó
primero? ¿Las ideó alguien? ¿Surgieron de la nada, del azar o
de la Inteligencia creadora y ordenadora? ¡Grave cuestión!

¿Podrá haber quien nos persuada torpemente de que ser
tan maravilloso, dotado de tantas y tan excelsas perfecciones, vaso de tan admirables relaciones métricas conmensurables e inconmensurables, estáticas y dinámicas, de que
este perfecto ser papiráceo pudo ser obra del acaso? ¿Ten-
dremos que recordar lo de que echando al azar caracteres de
imprenta no pudo salir la *Ilíada*? ¡Lejos de nosotros Demó-
crito y Leucipo y Holbach y los materialistas todos! ¡Oh ceguera de los hombres! ¡Oh dureza de sus corazones! No,
no es posible que nos persuadan de doctrinas tan absurdas
como impías.

Ha surgido en modernos tiempos una secta proterva e im-
pía llamada transformismo, darvinismo o evolucionismo
–que con estos y otros tan pomposos nombres se engalana–,
que en su ceguera y arrogancia pretende que las especies hoy
existentes se han producido todas, incluso la humana, unas
de otras a partir de las más sencillas e imperfectas y ascen-
diendo a las más perfectas y complicadas. Pocas veces se ha
visto error más nefasto.

Y ¿qué nos dice el flamante transformismo acerca de la pajarita de papel? ¿Podrá hacernos creer que tan perfecto ser se
engendra evolutivamente, y no que surgiese de una sola vez y
como por ensalmo con las perfecciones todas que hoy atesora?
ra? Supongo que nos vendrá diciendo que dado un perfecto
cuadrado de papel y doblándolo con precisión no hay modo
sino de que se engendren figuras regulares, que doblando un
cuadrado por su diagonal por fuerza resultan dos triángulos
rectángulos isósceles; pero ¿no veis, desgraciados, que eso

que me venís diciendo implica una petición de principio o círculo vicioso?

Sí, conozco sus sofismas aparatosos, sofismas de ciencia vana que hincha y no conforta; sé que llevados de su natural soberbia sostienen con pertinacia que los cantos rodados han resultado tales en puro frotarse contra el lecho del arroyo y las aguas, y no que fueron hechos rodados desde un principio para que mejor resistieran a la corriente. ¿Qué más? Hay un hecho admirabilísimo, fuente de admiración para todo verdadero sabio, que ha servido a esos falseadores para uno de sus más artificiosos sofismas.

El hecho es el de lo maravillosamente dispuestas que están las celdillas de los panales de abejas, en prismas hexagonales, que son las construcciones que acercándose más a los cilindros desplazan menos terreno. ¡Maravillosa economía del espacio! Muchos sabios modestos, profundos y piadosos se han detenido en admirar a la Providencia en esta maravillosa traza, y puesto que no cabe, no siendo llevado de un espíritu sectario, atribuir a las abejas un conocimiento tal de la geometría que sepan cómo son los prismas hexagonales las figuras que mejor encajan unas en otras sin desplazar terreno y ofrecen el hueco que más se acerque al del cilindro, forzoso nos es ver en ello una Inteligencia suprema que las dotó de instinto. Pero he aquí que vienen estos sabios modernos, estos sofistas aparatosos y henchidos de presunción arrogante, y nos dicen que las avispas hacen cilíndricas sus celdillas dejando huecos intermedios, perdiendo terreno, y

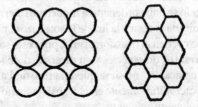

que si las abejas *han llegado* a hacerlas hexagonales es porque
apretando unos canutillos contra otros acaban por tomar
ellos mismos, naturalmente, la forma de prismas hexagonales, y a tal propósito nos invitan a reunir un fajo de tales
canutillos, a modo de cigarrillos en paquete, y ceñirlos y
apretarlos bien, y lo veremos patente. ¡Oh ceguedad de la razón humana, y a qué extremos conduces a los infelices mortales! ¡Oh astucias del Enemigo malo!

Recordemos que cuando Dios puso a nuestros primeros
padres en el paraíso terrenal les dejó todo aquel amenísimo
jardín en usufructo, ya que no en propiedad, y sólo les prohi-
bió que tocaran a los frutos del árbol de la ciencia del bien y
del mal; pero vino el Tentador y les ofreció que serían como
dioses, conocedores del bien y del mal y de las razones de las
cosas, y probaron del fruto del árbol de la ciencia y se vieron
desnudos y cayeron en miseria, y de allí arrancan nuestros
males todos, entre ellos el primero y más grave de todos, que
es eso que llamamos progreso.

La tentación continúa, pues estoy completamente convencido de que todo eso del transformismo no es más que una
añagaza puesta con divina astucia a nuestra razón para ver si
ésta se deja seducir y cree más en sí misma que en lo que debe
creer y a que debe confiarse.

Todo lo que a los seres orgánicos se refiere está, en efecto,
de tal modo dispuesto y trazado que se ve a nuestra pobre y
flaca razón llevada *naturalmente* y como de la mano a caer en
los errores del transformismo. Paralelismo entre el desarrollo
del embrión y la serie zoológica, órganos atrofiados, casos de
atavismo, todo se halla ordenado a inducirnos a error. Es evi-
dente que mirada la cosa a la luz de la sola razón, no hay más
remedio que caer en el transformismo, pues éste sólo nos ex-
plica la diversidad de especies y su diversidad de formas. La
ciencia es implacable y no sirve quererla resistir. La razón cae
y tiene que caer *naturalmente* en el transformismo si la fe no
la sostiene *sobrenaturalmente*.

Pero llegará el último día, el día del juicio, aquel en que nos veremos todos las caras, el día en que los ignorantes confundirán a los sabios, y aquel día oiremos que se les dice a nuestros flamantes sabios modernos:

«Sí, es verdad; todo estaba trazado y dispuesto para haceros creer en que unas especies provenían de otras mediante transformación, incluso el hombre provenir de una especie de mono; todo llevaba vuestra razón naturalmente y como por irresistible fuerza a tal creencia, pero, ¡ay!, para probar vuestra fe y ver si creíais más a vuestra pobre, flaca y soberbia razón que no a palabras que por infalibles debíais tener. Cierto es también que apóstoles del error y de la mentira os hablaron de cierta quisicosa que llamaban revelación natural, y de que Dios habla por sus obras y de que es la naturaleza su palabra, su verbo, y de que Él os enseñaba el transformismo y de que era ésta una doctrina profundamente religiosa y piadosa en cuanto mostraba al hombre una indefinida ascensión de mejora, pero todo eso eran trampas que se os ponía para probar vuestra fe. Y así como a Faraón se le endureció el corazón y una vez con el corazón endurecido no respondió cuando se le llamaba, y fue por ello castigado, así se os castigará ahora por haber creído antes a vuestra razón que no a antiquísimas y venerandas palabras». Y sonará la fatídica trompeta.

Tal es, sin duda alguna, el hondo sentido de ese moderno y perniciosísimo error que se llama transformismo, añagaza que a la razón se le antepone. Mas a nosotros debe apartarnos de él la asidua y cuidadosa contemplación de las perfecciones que la *cocotte* o pajarita de papel atesora.

....

Aquí termina bruscamente el manuscrito de los *Apuntes para un tratado de cocotología,* del ilustre don Fulgencio, y es lástima que este nuestro primer cocotólogo, el primero en orden de tiempo y de preeminencia, no haya podido llevar a cabo su proyecto de escribir en definitiva un tratado comple-

to de la nueva ciencia. Me ha asegurado que piensa refundir-
la en su gran obra de *Ars magna combinatoria*, y aun parece
ser que fue la cocotología lo que primero le sugirió tan consi-
derable monumento de sabiduría.

Apéndice

Don Fulgencio, que sigue –pues inmortal– viviendo, sigue pensando escribir un extenso *Tratado crítico comparativo de Cocotología racional* en dos tomos, por lo menos, de unas cuatrocientas páginas cada uno, con su bibliografía –literatura la llaman en tudesco–, por supuesto, sus notas y notas a las notas, y con gráficas y todo. Todo el andamiaje, en fin, que tape el cuerpo de la obra e impida verla ensenta. Cosa seria y no esas cosillas de entretenimiento –a lo peor poesías y fruslerías así– a que otros se dan. Don Fulgencio se aternilla y se atornilla de seriedad.

Cierto es que aquel físico, fisiólogo y psicólogo que fue Teodoro Fechner –el de la llamada ley de su nombre– escribió, con el seudónimo de *Doctor Mist,* un tratado de anatomía de los ángeles y otro sobre la sustancialidad de las sombras, pero eran tristes desahogos de un espíritu enfermo torturado por obsesiones anticientíficas. ¡Pobre Fechner! ¡Ir a caer en el humorismo! Es que el pobre, llevado de la soberbia de querer penetrar los misterios del último allende, no se conformó con ser un concienzudo pincharranas galvanizador de ciencia positiva.

Don Fulgencio, no. Don Fulgencio se dedica en serio a la investigación –investigación, ¿eh?– cocotológica, y me ha enviado el extracto de una monografía que prepara sobre un portentoso descubrimiento que acaba de hacer, y es el de la aparición del sexo en la *cocotta vulgaris,* o pajarita de papel ordinaria. Y a seguida de ello va una nota sobre la visión co-cótica del Universo.

He aquí el extracto:

«Fue en un día fausto para la ciencia española –negada toda-vía por nuestros malos patriotas–, cuando me fue dado por Dios el poder descubrir la aparición del sexo en la pajarita.

»Si en un proceso embrionario, al llegar al segundo pliegue –cocota de costillas simples– se echan éstas hacia fuera, a modo dermatoesquelético, en vez de dejarlas dentro, se verá aparecer el sexo, primero indiferenciado y diferenciándose luego. Y es de notar, al ver que los sexos salen de las costillas, cuán profunda es la revelación del Génesis de que Jehová hizo de una costilla de Adán a Eva. ¡Siempre la ciencia positiva confirmando la Revelación!

»Si todas esas costillas superiores quedan libres, hacia fue-ra, sin pliegue alguno, resulta una especie de monstruo papi-ráceo, un andrógino o hermafrodita. O sea, manflorita. Pero muy luego, por el replegarse de esas costillas exteriores, se originan el macho, con su nuez de Adán, y la hembra, con su papera de Eva. Sin que haya una fija línea divisoria entre am-bos. La nuez de Adán puede achicarse hasta desaparecer y quedar el sujeto en neutro, y puede crecer hasta hacerse pape-ra, pasando el macho a ser hembra, y si sigue en más hembra, en mayor papera, acaba en monstruo o manflorita. Y es de notar aquí si acaso esto de la nuez de Adán y de la papera de Eva no se deba en el proceso filogenético a que se les atracó la consabida manzana paradisíaca.

»En el macho perfecto, como se ve en la figura 4, la nuez de Adán forma una protuberancia triangular cuya punta se halla a los tres cuartos hacia arriba de la línea que va de la punta del pie a la del pico, y de aquella punta parte una línea hacia la

mitad del cogote, mientras que en la hembra perfecta –figura 3–
se forma una papera trapezoidal cuyo ángulo libre, también a
los tres cuartos de altura de la susodicha línea, lanza una línea
hacia la coronilla. En el macho es el cogote el que rige la nuez
adánica, y en la hembra es la coronilla la que rige la papera
evaica. Dejo a los místicos y a los humoristas –que son lo mismo– que escudriñen, enquisen, pesquisen y requisen este
simbolismo. La augusta seriedad de la ciencia investigativa
no me permite distraerme en ello.

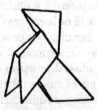

Fig. 1. Neutro

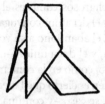

Fig. 2. Hermafrodita

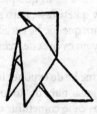

Fig. 3. Hembra

Fig. 4. Macho

»Obsérvese que la cabeza del macho resulta más ensenta
que la de la hembra, y su pico mayor y más robusto, y a la vez
que las meninges de su cerebro son de doble pliegue, sin duda
para soportar el pico de picar, mientras que en la hembra la
cabeza se hunde en la pechera dejándole un piquillo de piar,
y las meninges son de simple pliegue, menos complicadas,
cual corresponde a cerebro femenino.

»Conviene que el estudioso no se limite a contemplar esas figuras, sino que coja papel, lo pliegue e investigue por sí mismo, como en seminario o laboratorio científico, que otra cosa no es sino ciencia memorística o literaria, que es peor.

»Éstos son, sobria y objetivamente expuestos, sin misticismo ni humorismo algunos, los hechos de mi hallazgo. Y no voy ahora a caer en la tentación, partiendo de esta diferenciación de sexos cocóticos, de entrar a divagar o extravagar, que no investigar, sobre la diferencia de los dos amores, el eros y el agape, la lascivia y la caridad. Porque ello me llevaría a campos peligrosos como es el del amor paternal y filial, de un lado, y el del amor conyugal, del otro. El de la entrega filial al Padre, el abandono a su voluntad soberana, base de la fe luterana, y el de la unión –desposorio o matrimonio– con el Amado, como en la contemplación infusa de nuestros místicos. Bien es cierto que Lutero, que empezó monje, célibe y solitario, se casó –y con una monja– para ser padre carnal. El cuerpo, como el alma, le pedía obras. También nuestra Santa Teresa decía: "¡Obras, obras, obras!". Es lo que piden los obreros parados –contemplativos y quietistas–, pero se conforman con jornales. Y basta de esto, que me he excedido de mi cometido científico y objetivo, y no es cosa *de fechnerizar* más.

»Mas antes de concluir este informe he de exponer lo que a base del descubrimiento de la triangular nuez de Adán y de la trapezoidal papera de Eva cocóticas cabe conjeturar que sea la visión y, por tanto, la contemplación del mundo que tenga la cocota. Es decir, su *Weltanschauung,* para mayor claridad. Visión y contemplación estrictamente cúbicas, pero no de un cubismo caprichoso y antigeométrico. Y voy a dar un ejemplo.

»Sabido es que la greca es la representación cubista del oleaje de la mar, reduciendo a ángulos –y ángulos rectos– la crestería de las olas, y que la hoy tan famosa cruz gamada o ganchuda, la svástica de los racistas de allí y de aquí, no es sino la reducción angular –y en ángulos rectos– de una imagen del sol que aparece en cipos funerarios formada por semicírculos que se cruzan. Pues bien, la cocota o pajarita de papel ve una puesta de sol en la mar como el acostarse de una svástica en una greca. Y adjunto va un dibujo en que se ve a la pajarita al pie de un árbol anguloso, contemplando el romperse la svástica en la greca.»

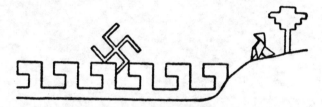

Puesta de sol en la mar

Así termina la nota que de su gran descubrimiento me ha dado mi don Fulgencio. Y con esto termino yo, por mi parte, este apéndice, porque si después del prólogo-epílogo de esta edición y el prólogo y el epílogo de la primera me doy a hinchar este apéndice, puede inflamarse y padecer esta obra de apendicitis, que es una de las peores dolencias que pueden aquejar a una obra científica o literaria. Es enfermedad para ellas tan mala como la de la cirrosis cuando el tejido conjuntivo se come al noble. Y me temo que si don Fulgencio llega a darnos su gran obra cocotológica no resulte enferma o de apendicitis o de cirrosis.

Concluyo, pues, antes de que se me agríe el humor y dejando este tono me avíe a otro en que vierta todo el asco que me producen los pedantes investigacionistas, que no investigadores. Tengamos la fiesta en paz, y ahoguemos en amor, en caridad, la pedagogía.

Índice